Condillac

ou

la joie de vivre

DU MEME AUTEUR

La vocation de Descartes, P.U.F., Paris, 1956.

L'humanisme de Descartes, P.U.F., Paris, 1957.

Le criticisme de Descartes, P.U.F., Paris, 1958.

La métaphysique de Descartes, P.U.F., Paris, 1959.

La Bataille du Cogito, P.U.F., Paris, 1960.

La pensée existentielle de Descartes, Bordas, Paris, 1965.

Condillac

ou

la joie de vivre

Présentation, choix de textes, bibliographie

par

ROGER LEFÈVRE

Professeur à la Faculté des lettres
et sciences humaines de Lille

ÉDITIONS SEGHERS

Collection dirigée par ANDRÉ ROBINET

La couverture a été dessinée par JEAN FORTIN

Condillac

par

Roger Lefèvre

« *Ce n'est qu'aux âmes qui se croient*
libres qu'il appartient de créer. »

La distinction de deux choses égales semble supposer deux choses, quoiqu'égales, sont différentes; et cependant les deux raisons ne font qu'une seule et même quantité. Je voudrais donc que, pour s'accoutumer à faire cette identité, on se fît une habitude de dire: la raison des premiers au second est nulle même que la raison des troisième au quatrième, ou le premier terme est au second dans la même raison que le troisième au quatrième.

Au lieu de cinq. huit. neuf. douze, je puis écrire, cinq. cinq plus trois: neuf. neuf plus trois, que j'énonce ainsi cinq est à cinq plus trois dans la même raison que neuf est à neuf plus trois. Il est évident qu'après ce changement la proportion est encore la même, puisque je n'ai fait que substituer des expressions identiques, cinq plus trois à huit, neuf plus trois à douze.

Or si nous ferons la somme des extrêmes, nous aurons cinq plus neuf plus trois, et si nous ferons celle des moyens, nous aurons cinq plus trois plus neuf. La somme des extrêmes est donc la même que celle des moyens, et cette identité est si sensible qu'elle se montre jusques dans les mots. Voilà la première propriété des proportions arithmétiques.

Mais, dira-t-on, ce qui est démontré d'une proportion, n'est pas démontré de toutes: car on ne peut pas conclure d'un particulier au général.

Je réponds que ce principe n'est pas aussi incontestable qu'on le pense; et que les géomètres, lorsqu'ils l'ont établi, ont mis même conclu du particulier au général.

En effet, parce qu'on a vu qu'on raisonne mal, lorsque, d'un cas particulier, on tire une conclusion générale qui renferme des cas tout différents, on s'est hâté d'en rejeter toutes les démonstrations, où l'on conclut du particulier au général; et on n'a pas remarqué

VIE DE CONDILLAC

1714 Naissance à Grenoble, le 30 septembre, d'Etienne Bonnot, fils de Gabriel Bonnot, vicomte de Mably.

1720 Achat du domaine de Condillac, près de Romans, dont Etienne prend le nom.

1727 A la mort de son père, Condillac va vivre à Lyon, chez son frère aîné, Prévôt général de la Maréchaussée. Etudes au Collèges des Jésuites.

1733 (?) Son second frère, l'abbé de Mably, l'emmène à Paris : études au séminaire de Saint-Sulpice et à la Sorbonne.

1740 Condillac reçoit les ordres, fréquente les salons, étudie les cartésiens, Locke et Newton, et prépare sa doctrine.

1746 *Essai sur l'origine des connaissances humaines.*

1749 *Traité des Systèmes*, réédité en 1771. Condillac est membre de l'Académie de Berlin.

1754 *Traité des sensations*, avec une *Dissertation sur la liberté.*

1755 *Traité des animaux*, avec un *Extrait raisonné du Traité des sensations*. Réédité en 1766.

1758-1767 Condillac réside à Parme, comme précepteur de l'infant Don Ferdinand, petit-fils de Louis XV. Il rédige son *Cours d'Etudes* (*Grammaire, Art d'écrire, Art de raisonner, Art de penser, Histoire ancienne, Histoire moderne*).

1768 Retour à Paris. Election à l'Académie française.

1773 Retraite au domaine de Flux, près de Beaugency.

1775 Publication du *Cours d'Etudes* à Paris (16 volumes). Réédité en 1776, 1780, 1782, 1789.

1776 Entrée à la Société royale d'Agriculture d'Orléans. Ouvrage sur *Le commerce et le gouvernement considérés relativement l'un à l'autre.*

1777 Rédaction d'une *Logique* pour les écoles de Pologne, éditée en 1780.

1778 Rédaction de *La langue des calculs*, inachevée, éditée en 1798.

1780 Mort de Condillac, le 3 août 1780, au domaine de Flux.

I. LA VOCATION DE CONDILLAC

Des philosophes français de son siècle, Condillac paraît distant : les autres font de la littérature, du roman, de la tragédie, de la musique, de l'épopée, de la politique, de l'histoire; lui, il fait de la philosophie. En fait, leurs idées maîtresses, nature, liberté, progrès, culture, science, éducation, évolution, société, sont par lui systématisées dans une œuvre originale, dont on n'a retenu souvent qu'une caricature médiocre. Il est, comme on a bien dit, « le philosophe des philosophes »; ce n'est pas un mince hommage.

1. L'EDUCATION A REFAIRE

Il est né le 30 septembre 1714, à Grenoble, dans une maison qu'on voit toujours, au numéro 13 de la Grande Rue, aujourd'hui plus petite que les autres. C'est là que ce sensualiste a senti pour la première fois la grande symphonie des sons, des couleurs et des parfums, qu'il analysera plus tard. C'est là qu'il a palpé les choses, avant de retrouver le toucher à la racine des objets. C'est là qu'avant de scruter les ressorts secrets du langage, il a gratifié sa famille de vagissement prometteurs. N'a-t-il pas noté lui-même que le Newton qui expliquait le monde avait dû d'abord apprendre à sentir et à parler[1] ?

Il est d'une famille noble — noblesse de robe — originaire de

---

1. « Newton, qui développait le système du monde, ne raisonnait donc pas autrement que Newton qui apprenait à toucher, à voir, à parler; il ne raisonnait pas autrement que Newton qui développait ses propres sensations. Tous deux observaient; tous deux comparaient; tous deux jugeaient; tous deux tiraient des conséquences. L'âge a seulement changé l'objet des études; mais le raisonnement, de la part de l'esprit, a toujours été la même opération. » *Cours d'Etudes, Motif des leçons préliminaires*, p. LVII, édition de 1798.

Briançon, fixée dans le Dauphiné. Son père, Gabriel Bonnot, vicomte de Mably, est d'abord receveur des tailles, puis écuyer, Conseiller du Roi, secrétaire de la Chancellerie près du Parlement de Grenoble. Il y a cinq enfants chez les Bonnot. L'aîné, Jean, sera Conseiller du Roi, prévôt général de la Maréchaussée du Lyonnais, Forez et Beaujolais. Le second, Gabriel, fera son chemin sous le nom d'abbé de Mably. Le troisième, Etienne, prendra le nom de Condillac, quand son père, en 1720, achètera pour 120 000 livres les domaines de Condillac et de Banier à Granges-lès-Beaumont, près de Romans. Le quatrième, François, deviendra maire de Romans de 1755 à 1768. Enfin le cinquième, une fille, Anne, épousera Philippe de Loulle, seigneur d'Arthemonay, conseiller au Parlement de Grenoble. Les armoiries familiales sont « de sable, à un chevron d'or et au chef d'argent chargé de trois roses de gueules. »

Dans ce terroir, où le réalisme s'allie souvent à l'audace, le jeune Condillac grandit. Sa jeunesse est mal connue, en dépit des renseignements glanés en 1910 par un arrière-neveu, le comte Baguenault de Puchesse. Une santé fragile, une vue mauvaise retardent ses premières études : à douze ans, au dire de témoins, il ne sait pas encore lire. En 1756, Voltaire lui écrira aimablement : « je sais que vous avez physiquement parlant, les yeux du corps aussi faibles que ceux de votre esprit sont perçants. » Mais sous la direction d'un prêtre, il fait de rapides progrès et rattrape le temps perdu. A treize ans, en 1727, après la mort de son père, il va vivre chez son frère aîné, qui vient de se marier et de s'installer à Lyon, place Louis-le-Grand, comme Prévôt de la Maréchaussée. Il y poursuit ses études au collège des Jésuites sans doute, sans toutefois manifester, comme le jeune Descartes à La Flèche, une curiosité avide finalement désabusée. Rousseau, qui sera précepteur des fils de M. de Mably, le Grand Prévôt dont il chipe « le petit vin blanc d'Arbois », dira de Condillac dans l'*Emile* : « J'ai vu dans un âge assez avancé un homme qui m'honorait de son amitié passer dans sa famille, et chez ses amis pour un esprit borné : cette excellente tête se mûrissait en silence. Tout à coup, il s'est montré philosophe, et je ne doute pas que la postérité ne lui marque une place honorable et distinguée parmi les meilleurs raisonneurs et les plus profonds métaphysiciens de son siècle. »

C'est son second frère, l'abbé de Mably, qui joue le rôle décisif, en emmenant Etienne à Paris. Au séminaire de Saint-Sulpice, à la Sorbonne, il reçoit l'enseignement théologique, philosophique, scientifique traditionnel. Mais il n'a guère de ferveur, si l'on en croit le jugement sur les Universités, par lequel, trente ans plus tard, il termine son *Cours d'Etudes*, concluant, à la manière du *Discours de la Méthode*, par une révolte hardie :

« Quand nous sortons des écoles, nous avons à oublier beaucoup de choses frivoles, qu'on nous a apprises; à apprendre des choses utiles, qu'on croit nous avoir enseignées, et à étudier les plus nécessaires, sur lesquelles on n'a pas songé à nous donner de leçons. De tant d'hommes qui se sont distingués depuis le renouvellement des lettres, y en a-t-il un seul qui n'ait pas été dans la nécessité de recommencer ses études sur un nouveau plan ?... Si c'est hors des écoles que nous commençons à nous instruire, à quoi servent-elles donc ?... Nous sommes condamnés à attendre l'âge viril pour nous instruire réellement. »

Voici donc effectivement, vers la vingt-cinquième année, notre apprenti décidé à compléter ou reprendre une instruction trop désuète. C'est là véritablement, tandis qu'il aborde le monde et les salons littéraires, que germe sa philosophie. Certes, en 1740, il va recevoir les ordres. Fidèle à l'Eglise chrétienne, il portera toujours la soutane, il restera toujours « l'Abbé ». Mais il renonce à exercer le sacerdoce — on dit même qu'il ne célébra qu'une fois la messe — pour se donner entièrement à sa tâche intellectuelle. Dans sa vie méditative, pas d'aventures spectaculaires, pas d'incidents dramatiques, pas de polémique tapageuse. On ne lui demandera pas l'ironie mordante d'un Voltaire, l'effusion lyrique d'un Rousseau, la fantaisie d'un Diderot. Mais une réflexion féconde, alerte et sérieuse à la fois, consacrée toute à mûrir, à perfectionner ses thèses. Il ne s'agit pas seulement de refaire ses connaissances; il s'agit de dominer la crise de la pensée française, qui précéda d'assez loin la crise politique et sociale. Cette crise a pour double ressort le progrès de l'*esprit critique* dans le domaine de la philosophie, et l'*esprit expérimental* dans le domaine de la science. Elle atteste, et elle explique l'influence prépondérante de la pensée anglaise en France, et se traduit finalement par un mouvement de bascule. D'un côté, une doctrine s'effondre : celle de Descartes et de ses disciples. De l'autre, une doctrine s'élève : celle de Locke et de Newton. *On peut dire, pour simplifier, que la vocation de Condillac sera d'accentuer ce mouvement, de précipiter la chute de la philosophie rationaliste, en amplifiant le triomphe de la philosophie empiriste.*

2. LES MAITRES A PENSER

Bien qu'il ne soit pas grand liseur, il étudie sérieusement Descartes et les cartésiens, Malebranche, Spinoza, Leibniz, dont il va se faire l'adversaire. A Descartes qu'il admire, il doit sans doute plus qu'il ne croit, ne serait-ce que pour le choix de la méthode analytique comme instrument de recherche. Au reste, l'esprit critique, l'esprit expérimental, c'étaient des vertus, soyons justes, authentiquement cartésiennes. Mais Condillac les retourne contre Descartes lui-même, et c'est au nom de l'expérience qu'il critique ses constructions. Descartes s'était flatté, en révérant sincèrement le pouvoir politique et religieux, de remplacer la scolastique par une philosophie vraie, capable de conduire la vie vers le véritable bien (et non seulement, comme on croit, de fabriquer des lunettes ou de disséquer des bestiaux). Cette philosophie nouvelle avait le double avantage de fonder rationnellement une *physique mécaniste* qui favorisait la science sur une *métaphysique spiritualiste* qui satisfaisait la foi. Bref, elle rassemblait en l'homme les énergies dispersées dans les conflits de l'époque, pour monter en perfection. Or, c'est ce qu'il y a chez Descartes de plus hardi, de plus neuf, qui, par un étrange retour, paraît maintenant périmé. Ce qui s'effondre avec lui, ce n'est pas la seule prétention de construire une métaphysique à rigueur géométrique; c'est aussi celle d'en déduire les principes de la nature, et d'enfermer l'univers dans le remous des tourbillons. A ce double discrédit contribuent intensément les maîtres de l'Angleterre, les maîtres du XVIII° siècle, les maîtres de Condillac : pour la métaphysique, Locke, et pour la physique Newton.

Il étudie Locke, dont l'*Essai philosophique concernant l'entendement humain* date de 1690, non dans le texte original, car il ne sait pas l'anglais, mais dans la traduction de Pierre Coste, publiée en 1700, d'ailleurs revue par l'auteur. Si ce n'est pas le coup de foudre — comme Malebranche lisant Descartes — c'est du moins la séduction aux conséquences décisives. Ce que représentait Locke aux yeux des contemporains, c'était une révolution comparable à celle de notre psychologie d'hier, de notre sociologie d'aujourd'hui : la substitution féconde de l'expérience au système, de l'observation positive à l'abstraite spéculation. Abandonnant, et ruinant les hypothèses arbitraires et les discussions stériles sur la substance, sur l'essence, sur l'absolu, sur la cause, sur la fin de l'âme ou du monde, Locke imposait au penseur (sous l'influence notamment du physicien Robert Boyle et de sa *Philosophie naturelle*), le devoir primordial d'observer, analyser, décomposer la faculté de connaître en son exercice concret, et d'en marquer les frontières : la philosophie de l'esprit détrônait la métaphysique de l'être. Par suite, la tâche capitale était de résoudre le problème de l'origine des idées, charrié de siècle en siècle, et toujours controversé. La solution innéiste, dangereuse et paresseuse, génératrice de conflits, cédait devant le prestige d'un empirisme rénové. Pour Locke, l'entendement se compose d'idées diversement associées comme un édifice de matériaux. Mais ces idées sortent de l'expérience, et en sortent par deux sources, simultanément ouvertes : *la sensation* qui fait connaître les objets extérieurs à l'âme; *la réflexion* qui fait connaître ses opérations intérieures. Ces idées simples initiales, l'entendement « a la puissance de les répéter, de les composer, de les unir ensemble avec une variété presque infinie, et de former par ce moyen de nouvelles idées complexes », exprimées par le langage : les notions philosophiques ne sont pas nées autrement. Ainsi, toute la vie de l'esprit, objective et subjective, apparaît comme un travail de transformation continu, évidemment perfectible, à partir des éléments procurés par l'expérience, et Locke en dressait l'esquisse au bénéfice conjugué de la science et de la tolérance, de la pensée et de l'action. Dans ses *Lettres philosophiques,* d'ailleurs ramenées d'Angleterre, Voltaire se faisait l'écho en 1734 de cette méritoire entreprise : « Tant de raisonneurs ayant fait le roman de l'âme, un sage est venu, qui en a fait modestement l'histoire. »

Quant à Newton, il peut le lire directement dans le texte, car les *Principes mathématiques de Philosophie naturelle* ont paru en

1687 en latin, comme en 1704 *L'Optique.* De plus, en 1738, Voltaire, par ses *Eléments de la Philosophie de Newton,* s'en fait le vulga-risateur. Ce que représente Newton, dont le prestige est immense, c'est une révolution scientifique irréversible et profonde. D'une part, il abandonne la prétention démodée d'enchaîner déductivement une physique artificielle à une métaphysique ambitieuse. D'antre part, il purge la science des hypothèse romanesques, pour induire les lois exactes des faits et de leurs liaisons. Descartes s'efforçait d'attein-dre, à partir du Dieu créateur, une explication quantitative de l'uni-vers, mais ne parvenait dans le donné, faute d'expérience et de me-sure, qu'à des descriptions qualitatives. Newton n'entend pas pro-duire une genèse de l'univers, mais parvient à le soumettre aux précisions du calcul. L'attraction universelle n'a rien d'une fantai-sie agréable aux femmes savantes; elle ressort du rapprochement des phénomènes disparates : la pesanteur, les marées, les tribulations de la lune et des planètes. Elle est ce qu'il y a de simple, de cons-tant, de général, dans un univers complexe. Bref, elle fournit un *principe*, aussi facile à comprendre que difficile à contester, et capa-ble de s'appliquer à des phénomènes nouveaux. La loi n'est que l'unité que la raison trouve dans les choses, lorsqu'au lieu de la construire elle consent à la chercher. La gloire de Newton c'est l'hommage d'une époque intelligente, avide d'une vérité qui soit enfin vérifiable.

Ainsi, c'est au confluent de ces deux courants de pensée — aux-quels s'ajoutera Bacon après 1746 — que Condillac travaille et rêve. *Son dessein fondamental, c'est de poursuivre l'analyse de l'entende-ment afin de le renouveler; de dégager la loi simple qui explique ses productions et permet de le conduire; d'égaler dans la science de l'âme la réussite éclatante de la science de la nature :* selon le mot de Georges Le Roy, de refaire l'œuvre de Locke en disciple de Newton.

II. LA PHILOSOPHIE DE L'ESPRIT

La maturation fut lente, l'épanouissement sera rapide. Condillac réside à Paris, entraîné par les salons où se plaisent les philosophes, les salons où les grands esprits se rencontrent, parfois les grands cœurs. Avec son frère, l'abbé de Mably, il fréquente l'hôtel célèbre de Mme de Tencin, une alliée de sa famille qui a quitté le Dauphiné, et qui, jusqu'à sa mort, en 1749, favorisera ses débuts. Il retrouve Rousseau, qui l'estime, et par lui se lie à Diderot : les trois amis se rencontrent à l'hôtel du « Panier Fleuri » en de gastronomiques colloques, dont au fil de ses *Confessions*, Rousseau fera confidence [1]. Puis il pénètre dans les salons à la mode : ceux de Mme d'Epinay, de Mlle de La Chaux, de Mlle de Lespinasse, de Mme Geoffrin, de Mlle Ferrand, l'Egerie des philosophes, qui lui

---

1. Cf. Rousseau, *Confessions*, liv. VII : « Je m'étais lié avec l'abbé de Condillac, qui n'était rien, non plus que moi, dans la littérature, mais qui était fait pour devenir ce qu'il est aujourd'hui. Je suis le premier, peut-être, qui ait vu sa portée et qui l'ait estimé ce qu'il valait. Il paraissait aussi se plaire avec moi; et tandis qu'enfermé dans ma chambre, rue Saint-Denis, près l'Opéra, je faisais mon acte d'*Hésiode,* il venait quelquefois dîner avec moi, tête à tête, en pique-nique. Il travaillait à l'*Essai sur l'origine des connaissances humaines,* qui est son premier ouvrage. Quand il fut achevé, l'embarras fut de trouver un libraire qui voulût s'en charger. Les libraires de Paris sont arrogants et durs pour tout homme qui commence; et la métaphysique, alors très peu à la mode, n'offrait pas un sujet bien attrayant. Je parlai à Diderot de Condillac et de son ouvrage; je leur fis faire connaissance. Ils étaient faits pour se convenir; ils se convinrent. Diderot engagea le libraire Durand à prendre le manuscrit de l'abbé; et ce grand métaphysicien eut du premier livre, et presque par grâce, cent écus qu'il n'aurait peut-être pas trouvés sans moi. Comme nous demeurions dans des quartiers fort éloignés les uns des autres, nous nous rassemblions tous trois, une fois par semaine, au Palais-Royal, et nous allions dîner ensemble à l'hôtel du Panier-Fleuri. »

inspira, dit-il, le *Traité des Sensations* et l'hypothèse de la statue. Il est en relation, par Diderot, avec Duclos, l'abbé Barthélemy, Cassini, d'Holbach, Helvétius, l'abbé Morellet, Grimm qui le déteste, Voltaire qui l'aime et l'invite même à venir travailler aux Délices [1]. Plus tard, il rencontre Cabanis dans le salon de Mme Helvétius, ainsi que Thomas, Franklin, Turgot. Il est lié à d'Alembert, qui lui fera même des emprunts dans son *Discours préliminaires de l'Encyclopédie*. Ces fréquentations contribuent à enrichir sa doctrine, à en préparer ou mesurer le succès; car sous cette vie extérieure, il ne cesse de rédiger, et les œuvres se succèdent avec une régularité telle, qu'en dix ans la doctrine est faite et le succès assuré.

En 1746, à 31 ans, il publie l'*Essai sur l'origine des connaissances humaines*. En 1749, le *Traité des Systèmes*. En 1754 le *Traité des Sensations*, avec une *Dissertation sur la liberté*. En 1755, le *Traité des Animaux*, avec un *Extrait raisonné du Traité des sensations*. Si bien qu'à quarante et un ans, sa pensée est cohérente, centrée sur le *Traité des Sensations*, que les œuvres antérieures préparent et que les autres compléteront. Il faut maintenant l'exposer.

1. LA GENESE DE LA PENSEE

L'Essai sur l'origine des connaissances humaines résout un triple problème : étudier le développement des opérations de l'âme, préciser le rôle du langage au cours de ce développement, enseigner les conditions du développement le meilleur. Ainsi ressort le sens de l'œuvre : *voir comment la pensée fonctionne pour que la pensée fonctionne bien.*

1. *Lettre de Voltaire à Condillac*, Genève, avril 1755 : « ... Il me semble que personne ne pense, ni avec tant de profondeur, ni avec tant de justesse que vous... je crois que la campagne est plus propre pour le recueillement d'esprit que le tumulte de Paris. Je n'ose vous offrir la mienne; je crains que l'éloignement ne vous fasse peur; mais après tout, il n'y a que 80 lieues en passant par Dijon. Je me chargerais d'arranger votre voyage : vous seriez le maître chez moi, comme chez vous; je serais votre vieux disciple, vous en auriez une plus jeune dans Mme Denis, et nous verrions tous les trois ensemble ce que c'est que l'âme. S'il y a quelqu'un capable d'inventer des lunettes pour découvrir cet être imperceptible, c'est assurément vous. »

Auparavant, Condillac, pour écarter toute méprise, caractérise sa recherche :

1) D'abord, généralement, il s'agit, comme plus tard chez Kant, d'une révolution métaphysique, non d'une délicieuse promenade à la manière de Montaigne dans nos replis intérieurs. C'est qu'il y a deux métaphysiques : il y a l'ancienne qui est fausse, et la nouvelle qui est vraie. La fausse, celle des cartésiens, est aussi vaine qu'ambitieuse. Elle prétend déterminer les mystères de la nature : en fait, elle ne représente qu'un ramassis d'abstractions qu'on substitue au réel. C'est le réel que scrute la vraie, celle que Locke vient d'instaurer. Renonçant à l'absolu, elle contient la connaissance dans les bornes de l'expérience, et dans ces bornes étroites, elle atteint des vérités.

2) Plus précisément, l'ancienne postule des idées innées, présentes d'avance dans les âmes comme un reflet des essences. Pour la nouvelle, les idées, loin d'être innées, sont acquises à partir de la sensation, qui fournit les idées simples dont les complexes sont tirées avec le concours des signes. Le travail du philosophe consiste donc à expliquer la genèse de l'entendement au moyen d'un seul principe, à substituer heureusement le sensualisme à l'innéisme, à fonder dans l'expérience la philosophie de l'esprit (Voir Choix de Textes 1).

3) Il faut bien dire *de l'esprit*. La sensation, en effet, n'est pas un fait matériel, c'est toujours un fait mental. Certes, comme le dit Descartes, le corps en est l'occasion, mais comme dit Descartes aussi, c'est un mode de la pensée. Ainsi s'effondre la thèse soutenue un siècle plus tôt par Hobbes, Gassendi et consorts, qui réduisent l'action de l'âme au jeu de la matière subtile. Thèse absurde, que Locke lui-même eut le tort d'envisager : car si le corps est un assemblage de corpuscules, si l'âme, dans une perception ou comparaison de perceptions, reste une et indivisible, le corps ne peut jamais être « le sujet de la pensée »; l'un ne naît pas du multiple; l'esprit ne sort pas de la matière.

4) L'orthodoxie de la doctrine est du même coup préservée, car l'âme et le corps sont liés, mais ne sont pas confondus. Le péché originel a condamné la pensée à la dépendance sensible; mais dans l'état d'innocence, elle jouissait d'une pureté que l'immortalité lui rendra. Le philosophe, étudiant l'état de l'âme après la chute, suit

fidèlement l'expérlence, sans être nullement infidèle à la religion révélée. (Voir Choix de Textes 2).

5) Mais expliquer la pensée à partir de la sensation, est-ce un dessein « si nouveau » ? N'est-ce pas le dessein de Locke, dont Condillac se réclame ? Toutefois, l'œuvre de Locke souffre de plusieurs tares, et doit être recommencée. S'il a démontré le principe que toute connaissance vient des sens, il l'a fort mal exploité. Entrepris par occasion, son traité a des longueurs, des répétitions, du désordre. Il s'est aperçu très tard de l'importance du langage. Il n'a pas fait réellement une analyse exhaustive : d'une part, en séparant *la sensation extérieure* et la *réflexion intérieure*, il a maintenu dans l'esprit une dualité obscure et masqué fâcheusement l'unité de son principe ; d'autre part, en postulant en même temps que les matériaux la force qui les élabore, il a maintenu dans l'esprit une faculté mystérieuse et masqué fâcheusement la continuité de sa genèse. Condillac entend ramener l'origine de la pensée à un élément simple, *la sensation,* expliquer le développement de la pensée par un instrument simple, le *langage* ; bref, découvrir comme Newton dans la complexité des faits l'universalité d'une loi, vérifier le principe par la genèse, éclairer la genèse par le principe.

6) Enfin, si la sensation est source de la pensée, il importe de l'évaluer. Modification du sujet provoquée par un objet, impression de la matière dans l'âme, elle nous représente les corps par une variétés d'idées immédiates, irréductibles : couleur, odeur, sonorité, saveur, tactilité, extension, figure, mouvement, repos, localisation. Ces idées claires et distinctes, nous ne les confondons pas. Mais quelle en est la portée ? Prolongeant et dépassant les théories cartésiennes, Condillac dégage alors dans la sensation trois degrés :

a) La perception, éprouvée comme un mode de la pensée radicalement subjectif.

b) Le rapport que nous en faisons à quelque objet extérieur que nous tenons pour sa cause.

c) Le jugement selon lequel la perception du sujet représente l'essence de l'objet. Or, s'il n'y a point d'erreur dans les deux premiers degrés, le troisième est abusif. Ni les *idées qualitatives* ni même les *idées quantitatives* ne livrent l'essence des corps, qui demeure inconnaissable. Ce sont seulement les manières dont les corps nous apparaissent dans une expérience vécue, hors de laquelle on ne remonte pas. *L'innéisme substantialiste cède la place, chez Condillac, au phénoménisme relativiste purement expérimental, autrement dit pragmatique* [1].

I. *LES FACULTES MENTALES*

1. *Les opérations élémentaires.*

1) A partir de la *sensation,* les opérations mentales s'engendrent les unes les autres en un progrès continu. Et d'abord, la *perception.* C'est l'impression que le sujet reçoit à la présence de l'objet, le moindre degré de connaissance, la conscience d'une sensation. Certes, Condillac a d'abord cru, à la manière de Leibniz, qu'il se passait en nous des perceptions inconscientes. Mais découvrant son erreur, il a conclu avec Locke, à la manière de Descartes, que « l'âme n'a point de perception dont elle ne prenne connaissance ». Si percevoir, c'est prendre conscience, une perception inconsciente n'est donc

---

1. Descartes refuse d'attribuer à la matière les *sensations qualitatives* (couleur, odeur, saveur, etc.) qui relèvent de l'union substantielle exprimant la vie humaine. Mais il lui attribue les *sensations quantitatives* (grandeur, figure, mouvement), qui conviennent avec l'idée géométrique d'étendue exprimant l'essence des corps. Condillac, après Locke, étend la critique à l'ensemble des sensations. Pour lui, l'idée d'étendue venant comme les autres des sens, n'exprime pas plus que les autres l'essence de la matière. Simplement, il nous est *impossible* de supposer dans les corps quelque chose de semblable aux qualités perçues par notre pensée, alors qu'il nous est *possible* d'y supposer quelque chose de conforme à la quantité étendue. Mais ce n'est jamais qu'une *supposition utile* (par exemple pour le physicien) qui ne permet pas de définir la substance : l'étendue n'est rien de plus que « *l'idée de plusieurs choses qui nous paraissent les unes hors des autres* » — c'est-à-dire de « phénomènes » — et qui, d'ailleurs, est acquise. Cf. *Traité des Sensations* : « Puisqu'on reconnaît que les sons, les saveurs, les odeurs et les couleurs n'existent pas dans les objets, il se pourrait que l'étendue n'y existât pas davantage... N'y eût-il point d'étendue, ce ne serait donc pas une raison pour nier l'existence des corps. Tout ce qu'on pourrait et devrait raisonnablement inférer, c'est que les corps sont des êtres qui occasionnent en nous des sensations. et qui ont des propriétés sur lesquelles nous ne saurions rien assurer. » 383, *Art de penser,* 111, et 145-149.

qu'une absurdité : autant dire « que j'aperçois sans apercevoir » ! En fait, les impressions sont quelquefois si légères « qu'un moment après nous ne nous en souvenons plus ». Mais conscience et perception sont une même opération sous deux termes différents, selon que l'on considère la connaissance du sujet ou l'impression de l'objet, réellement inséparables.

2) Or, cette conscience perceptive est d'intensité variable. Plus ou moins faible ou vivace, concentrée ou relâchée, son intensification est ce qu'on nomme *attention*. Ainsi, les choses nous attirent, nous affectent diversement selon leur correspondance à notre état, notre intérêt, notre tempérament, nos passions. En outre, plus la conscience de certain objet augmente, plus celle des autres diminue, comme on peut voir au spectacle, et l'on se souvient de l'un d'autant mieux que les autres s'oublient. Enfin, c'est parce qu'on oublie, faute d'attention suffisante, la plupart des perceptions, que la durée, quelquefois, paraît s'écouler si vite.

3) C'est cette durée vécue qui se nomme *réminiscence*. Chaque perception, en effet, comme modalité de pensée, se relie directement au « sentiment de notre être », c'est-à-dire au sujet pensant. Par suite, quand nos perceptions se répètent, la conscience nous avertit que nous les avons déjà eues, nous les fait connaître comme nôtres, ou affectant le même « nous ». La liaison des perceptions engendre la permanence du sujet et de l'objet, puisque ces modalités éparses et successives se centralisent et s'enchaînent. Le sentiment de l'existence se forme par la conscience de l'unité dans la variété, et de la constance dans le changement (Voir Choix de Textes 3).

4) La perception, répétée quand l'objet se représente, peut aussi se présenter quand son objet est absent, ce qui se produit dans trois cas. Si la perception se réveille sous forme d'image de l'objet que nous pouvons reconnaître, elle donne l'*imagination*. Si elle ne réveille que le nom et les circonstances de l'objet, avec l'idée abstraite de perception, elle constitue *la mémoire*. Enfin, si nous conservons, sans aucune interruption, soit l'image, soit le nom de l'objet qui vient de disparaître, nous avons la *contemplation*, qui se rapporte à l'imagination dans un cas et à la mémoire dans l'autre. Il convient donc de distinguer l'imagination de la mémoire, que Locke avait confondues. En outre, les perceptions sont d'autant mieux

réveillées qu'elles nous sont plus familières (l'étendue mieux que l'odeur, le triangle mieux que le myriagone), l'imagination s'aidant, pour reconstituer et pour transformer l'objet, de tout ce qui peut la servir. (Voir Choix de Textes 4).

Jusqu'ici, Condillac a suivi Locke, quoique avec plus de rigueur et plus de subtilité. Ce souci de l'observation et de l'explication apparaît dans deux principes qui vont dominer l'ouvrage. Le premier, c'est celui de *la liaison des idées*. A chacun de nos besoins, l'attention lie la perception de la chose qui le soulage; puis, à cette perception, elle lie celles qui l'accompagnent, à celles-ci d'autres encore, dans un enchaînement croissant. Et comme nos besoins sont liés, il se fait comme un réseau de plus en plus compliqué, chaque idée étant capable d'en rappeler toute une série : où l'on voit se transposer dans le registre sensualiste les « longues chaînes de raisons » cartésiennes. (Voir Choix de Textes 5). Le second principe, celui de *la liaison des idées avec les signes*, assure l'extension du premier. Car l'association, bornée aux perceptions immédiates, reste limitée, contingente, ordinairement passive. Mais le signe est le symbole substitué aux perceptions, qui nous donne sur nos idées un empire indéfini. Grâce au mot, volontairement, la mémoire réveille l'idée en se délivrant de l'image; l'imagination réveille les images elles-mêmes; l'attention peut s'appliquer à des idées qu'elle choisit : bref, on passe progressivement des facultés réceptives aux facilités réflexives.

2. *Les opérations supérieures.*

Les facultés précédentes ne dépassent pas les sensations, qui sont reçues, maintenues, rappelées, reliées. Déjà pourtant, la mémoire prend, par le moyen des signes, une sorte de distance à l'égard des impressions. C'est ce pouvoir qu'amplifient les facultés supérieures, qui séparent les hommes des bêtes. Point capital, car là-dessus l'œuvre de Locke est fautive. Au lieu d'expliquer l'essor des facultés réflexives, il attribue à l'esprit la puissance de réfléchir sur ses impressions premières, pour faire des idées complexes à partir des idées simples. Cette faculté mystérieuse, résidu de l'innéisme, provoque une étrange fissure dans l'édifice empiriste et paraît s'of-

frir d'avance à la riposte de Leibniz : « Nihil est in intellectu...
nisi ipse intellectus. » La genèse de l'entendement suppose l'exercice de l'entendement! *Condillac entend prouver que la pensée
tout entière a la même source et le même ressort : sensibilité,
entendement, ne sont point hétérogènes; le langage est le médiateur
qui conduit de l'une à l'autre.*

1) La vertu profonde des signes, c'est de permettre de réfléchir.
La *réflexion* n'est d'abord que l'attention dirigée sur les multiples
objets. Mais les signes dont on dispose peuvent évoquer les idées,
exercer et enrichir l'imagination, la mémoire et la réflexion elle-
même qui invente de nouveaux signes. Ainsi, par leur secours mutuels ces facultés se développent : le pouvoir du signe sur l'idée
engendre tout l'entendement.

2) La direction de l'attention permet de disjoindre des idées que
nous recevons ensemble. Ce discernement des différences objecti-
ves constitue la *distinction*, d'autant moins aisée d'ailleurs que
les idées sont plus complexes, comme on voit en métaphysique, en
morale. Distingue-t-on des qualités séparées de leur objet? C'est
l'*abstraction*. Distingue-t-on des qualités communes à plusieurs
objets? C'est la *généralisation*; les idées générales naissant du double
processus de division de ce qui diffère et de réunion de ce qui se
ressemble. Confronte-t-on des idées saisies alternativement ou simultanément pour dégager leurs rapports? C'est la *comparaison*. Réu-
nit-on plusieurs idées en une seule, ou découpe-t-on une seule idée
en plusieurs? C'est la *composition* et la *décomposition*, d'où sortent
des comparaisons et combinaisons sans fin.

3) Ce n'est pas tout. Les rapports peuvent paraître sous deux
formes. Soit des rapports de convenance, exprimés par la liaison des
idées par le mot « est », et c'est l'*affirmation*; soit les rapports
de répugnance exprimés par les mots « n'est pas », et c'est la
négation. Cette double opération constitue le *jugement,* et l'enchaînement des jugements constitue le *raisonnement*. Enfin, le résultat,
déterminant exactement les idées et leurs rapports, constitue la *conception,* si bien que la pensée commence par la conception des idées
simples, et s'achève par celle des idées complexes. D'où cette double
conclusion : d'une part, l'entendement n'est nullement une faculté
antérieure aux connaissances; c'est la combinaison des opérations de

l'âme dont ces connaissances témoignent; d'autre part, en ce processus une même conscience s'exerce, et son unité paraît dans sa multiplicité. De la sensation la plus humble à l'idée la plus élevée, il n'y a pas de hiatus. Le divorce traditionnel du sensible et de l'intelligible, de l'impression et de la réflexion, est désormais annulé; le rationalisme pur s'effondre. Effectivement, la raison, sur laquelle on a tellement divagué, n'est pas la condition, mais le produit de l'expérience, « la connaissance de la manière dont nous devons régler les opérations de notre âme », le bon usage de l'entendement, couronnement de notre maîtrise mentale. (Voir Choix de Textes 6.)

II. *LE DEVELOPPEMENT MENTAL*

1. *Le rôle du langage.*

1) Dans cette genèse spirituelle, les signes ont le rôle central. Sans doute, Locke a bien compris que les mots soutiennent les idées, permettent leur rappel rapide et leur maniement commode, constituent les instruments de leur communication, partant, de la vie sociale. Mais il les présente surtout comme les moyens d'*expression*, et parfois de trahison, d'une pensée déjà formée, capable de leur préexister, voire même de s'en passer. Pour Condillac, le signe est une *cause déterminante* absolument nécessaire au développement de l'esprit. Lui seul permet de fixer et rassembler les idées; de passer de l'idée simple à l'idée complexe; de former des notions mathématiques, celles des nombres et de leur série; des notions physiques, celle de l'or qui groupe diverses qualités; des notions morales, celle de la justice, qui rassemble une collection d'éléments sous la forme d'un « archétype ». Thèse confirmée par les faits : un jeune sourd-muet de naissance, soudainement guéri, n'avait aucune idée de Dieu, de l'âme, du mal, de la vie et de la mort; un enfant sauvage, trouvé dans les forêts de Lithuanie, vivant au milieu des ours, n'avait ni raison ni souvenir. Bref, pas de signes,

pas de réflexion; pas de réflexion, pas de progrès. (Voir Choix de Textes 7).

Il en résulte un problème : si la réflexion s'acquiert par l'usage des signes, les signes ne supposent-ils pas l'usage de la réflexion ? En vérité, il existe entre la pensée et le langage une « influence » réciproque », une réaction circulaire, une liaison *congénitale*.

Mais d'abord, il y a trois sortes de signes, inégalement valables : 1° *Les signes accidentels* qui lient à une perception un objet qui la rappelle. Ces signes n'ont guère d'usage, car il faut que l'objet soit donné par quelque cause étrangère pour que la perception se réveille. 2° *Les signes naturels*, tels les cris, expressifs de nos passions. Plus constants, plus familiers, ils ne sont pas tout d'abord à notre disposition, et c'est seulement le hasard qui fait percevoir le signe qui réveille le sentiment, comme cela se passe chez les bêtes. 3° *Les signes conventionnels*, c'est-à-dire d'institution, que l'homme a lui-même choisis et reliés avec ses idées par un « rapport arbitraire ». Ils ont le triple avantage de dépendre entièrement de nous, d'être mieux déterminés, de se multiplier par de nouvelles inventions qui accroissent notre maîtrise. Grâce à eux la réflexion sépare l'homme de l'animal : autant dire que la chaîne se brise.

2) Mais comment les signes conventionnels sortent-ils des naturels ? Comment les peuples font-ils leur langue ? Une vaste fresque historique, où Condillac se complaît, montre que *les signes concrets, reliés aux perceptions simples, engendrent les signes abstraits, symboles des idées complexes*. Remontant aux origines, à la vie des animaux, des enfants, des primitifs, il décrit le *langage d'action*, celui des besoins, des passions, spontanément exprimé et spontanément compris par les êtres qui se ressemblent. Il consiste en cris, en gestes, mouvements de la tête et du corps, devenus peu à peu des signes dont savent disposer les hommes, *qui font alors par réflexion ce qu'ils faisaient par instinct*. Mais le progrès décisif remplace les signes naturels par des signes artificiels, et les choses reçoivent des noms : progrès lent, qui nécessite l'effort des générations, l'exercice de l'organe vocal, d'où l'usage des sons prévaut. Ce langage est avant tout fonction de la société : le besoin de communiquer, la possibilité de s'entendre, le « commerce réciproque », sont caractéristiques de l'homme. Un fond de similitude est à l'origine

des langues qui renforcent le lien social. Bienfaisante inclination : Descartes, élevé chez les ours, aurait marché à quatre pattes!

Le langage des mots, d'ailleurs, n'a pas instantanément remplacé le langage des actes. Ils se sont longtemps mêlés dans une symbolique complexe, faite de gestes, paroles, images, comme on peut voir en Orient, dans l'Antiquité, dans la Bible, par les oracles, les prophéties. Ce langage imaginatif était une sorte de danse, et c'est pourquoi « il est dit que David dansait devant l'arche ». Séparée de la parole, la danse est devenue un art : danse des gestes exprimant la pensée, danse des pas exprimant la joie. Mais pendant longtemps, la parole est restée proche de l'action, comme le montre la prosodie grecque et latine, avec son accentuation, sa modulation, ses inflexions, son mouvement, qui en faisaient « un vrai chant ». Chez les Anciens, la tragédie ne se séparait pas du chant, de la musique, de la danse, et les Romains, partageant le chant et les gestes entre deux acteurs, créèrent « l'art des pantomimes » par une sorte de retour au langage d'action primitlf. Comme la danse enfin, la musique s'est cultivée pour elle-même, et s'est vouée à l'agrément, quoique le seul bruit des tambours et des trompettes soit « encore capable de faire prendre les armes aux soldats. » (Voir Choix de Textes 8.)

3) Quant au langage verbal, la prose, il n'a cessé de s'assouplir, de s'enrichir, et s'est substitué aux autres à cause de sa commodité. Cette évolution a ses lois. 1° Issu de l'action, le langage en a gardé bien des traces dans sa grammaire, sa syntaxe. Les premiers noms furent ceux des objets intéressant nos besoins (*substantifs*); puis ceux de leurs qualités (*adjectifs*); puis ceux des actes utiles (*verbes*); enfin ceux des sujets (*pronoms*). C'est pourquoi le primitif énonce l'objet avant l'acte et l'acte avant le sujet, le complément avant le verbe et le verbe avant le pronom; il dit : « fruit vouloir Pierre », et non « Pierre veut du fruit. » Les conjugaisons des verbes, les déclinaisons des noms, les conjonctions des phrases, toutes sortes d'altérations, inversions, simplifications, variables selon les peuples, ont diversifié les langues, leurs vertus ou leurs défauts. 2° Dans cette genèse, les termes abstraits et généraux sont nés des termes singulier et concrets. Délestée de l'acte et de l'image, la langue a pu exprimer des notions de plus en plus complexes, substances physiques, vertus morales, tandis que les mots imagés persistaient

dans les prophéties, les paraboles, les énigmes. Parallèlement, l'écriture, d'abord picturale, comme chez les sauvages du Mexique et du Canada, puis métaphorique chez les Egyptiens, les Chinois, est devenue abstraite et mobile avec les lettres de l'alphabet, tout en restant figurée pour exprimer les mystères ou orner les monuments. 3ᵉ Enfin, chaque peuple, comme chaque homme, a son langage singulier révélant son caractère. Il y a donc un « génie des langues » que les grands écrivains développent, mais dont d'abord ils profitent. C'est pourquoi « les arts et les sciences ne s'épanouissent pas également dans tous les pays et tous les siècles », faute de langage équivalent. C'et pourquoi tous les grands hommes, employant des langues évoluées, semblent presque contemporains. (Voir Choix de Textes 9.) Finalement, si le langage, rassemblant plusieurs idées en une seule, ou reliant une seule idée à plusieurs, engendre la réflexion, il résulte de l'imagination qui invente les signes convenables, et de l'attention qui les lie convenablement aux idées. Il assure ainsi le passage des facultés perceptives aux facultés réflexives, de la passion à l'action, de la nature à la liberté. C'est un organe, non seulement d'*expression,* mais de *formation.* On ne saurait donc soutenir qu'une pensée élaborée élabore ensuite les signes : les signes sont indispensables à l'élaboration de la pensée. *L'entendement n'est pas inné comme une force mystérieuse; le langage n'est pas donné comme un adjuvant gratuit. Par un processus cyclique, ils s'épanouissent mutuellement dans l'activité mentale excitée par le besoin.*

2. *La réforme des idées.*

Comme chez tous les cartésiens, l'analyse est orientée; car, *si l'entendement se forme, il peut se déformer, c'est l'erreur, se réformer, c'est la vérité.* La théorie de la connaissance est inséparable d'une méthode, et même d'une thérapeutique.

1) La source de nos erreurs, c'est « l'habitude où nous sommes de raisonner sur des choses dont nous n'avons point d'idées, ou dont nous n'avons que des idées mal déterminées. » Habitude venue de l'enfance, où « nous nous remplissons d'idées et de maximes

telles que le hasard et une mauvaise éducation les présentent. » Ces opinions défectueuses nous semblent si naturelles que nous les nommons raison, principes innés, garantis par la véracité divine. N'atteignant « l'âge de raison que longtemps après avoir contracté l'usage de la parole », nous avons attaché aux mots des conceptions indistinctes, et nous avons cru que ces mots signifiaient l'essence des choses. (Voir Choix de Textes 10.) Là-dessus, les philosophes ont bâti leurs vains systèmes, tandis que les mathématiciens, sachant comment leurs idées s'engendrent, peuvent toujours les composer ou les décomposer pour saisir tous leurs rapports : ce qui est la seule méthode pour trouver la vérité. Telle est la leçon que Descartes a reçue des géomètres, et qu'à présent Condillac retourne contre les cartésiens!

2) Pour réformer l'entendement, il faut refaire les idées et réajuster les signes. En métaphysique, en morale, les idées de substances, vertus, sont capricieuses, arbitraires; leurs noms sont nés du hasard. Faisons donc des signes précis pour exprimer les idées en fonction des circonstances; et les autres nous comprendront en se plaçant à leur tour dans des circonstances semblables. Ainsi les idées des *substances*, collections de qualités corporelles, les idées des *vertus*, collections de qualités morales, fourniront aux philosophes un langage indiscutable, tel que Condillac lui-même, pour la notion de l'*entendement*, vient d'en donner le modèle. Cette méthode, il conviendra de l'étendre à toutes les sciences, en ordonnant les idées des plus simples aux plus complexes par une véritable genèse. Ecartant les préjugés dont la connaissance s'encombre, on déterminera le pouvoir et les bornes de l'esprit, car lorsque les sens cesseront de lui fournir des idées, l'esprit cessera de penser. On ne retranchera plus de l'idée quelque chose qui lui appartient; on ne lui ajoutera plus quelque chose qui ne lui appartient pas; les notions seront distinctes, puisqu'on les aura formées à partir d'idées distinctes exactement désignées. (Voir Choix de Textes 11.)

3) D'où la supériorité de l'analyse sur la synthèse dans le travail philosophique. La synthèse entend déduire les conséquences de principes; mais elle accepte pour principes des définitions abstraites dont elle ignore l'origine. L'abstraction, certes, a son rôle : l'homme ne possédant pas, comme Dieu, la connaissance de toutes choses, doit

les classer au moyen des ressemblances et différences. Mais cette abstraction relative aux besoins de la pensée, une inspection plus poussée suffit à la transformer. Or le danger, c'est de confondre le classement et la nature, de substituer aux existences des essences artificielles, de substantialiser des mots, de *réaliser l'abstraction*. De même que la scolastique avec ses notions occultes (qualités, formes, espèces), le cartésianisme avec ses notions innées (pensée, étendue, substance) est bâti sur des « phantômes » tenus pour des vérités, Descartes, doutant de ses jugements, mais ne doutant pas de ses idées, produit des définitions pour déduire les propriétés alors que les propriétés seules produisent les définitions. (Voir choix de textes 12.)

C'est aux idées au contraire que se consacre l'analyse, « pour les comparer par tous les côtés qui peuvent en montrer les rapports. » *En présence d'un tout donné, mélange de connu et d'inconnu, elle le décompose en parties dont elle saisit les liaisons et le recompose ensuite selon l'ordre de ces liaisons : elle va d'un ensemble confus simultanément donné à un ensemble distinct simultanément conçu, par distinction successive des éléments associés.* Et, ce faisant, elle invente, produit de nouvelles idées, car la mise en relation du connu et de l'inconnu permet de résoudre les problèmes. C'est la méthode cartésienne tirée des mathématiques, mais avec deux différences : d'une part, les *natures simples* ne sont plus des essences rationnelles, ce sont des données sensibles; d'autre part, *l'ordre des idées* doit sortir de leur genèse à partir de la sensation : l'observation naturelle prime les productions mentales qui dérivent de la nature.

Aussi n'est-il pas besoin de raisonner à l'écart, dans le silence d'un poêle, d'un château, d'une retraite solitaire : « Dès que nous ne cherchons plus la nature dans notre imagination, l'étude que nous nous proposons n'a plus de bornes : elle embrasse l'univers. La philosophie n'est plus la science d'un homme qui médite les yeux fermés; elle tient à tous les arts. » Non, Condillac n'est pas de ceux qui, au regret de Renan, les yeux fermés sur le charme infini des choses, auront traversé ce beau monde sans avoir pour lui un sourire. Enfin, si l'analyse est « le vrai secret des découvertes », c'est aussi le meilleur moyen d'exposition et d'enseignement; la méthode analytique commande la pédagogie : on s'en souviendra plus tard.

2. LE PROCÈS DES SYSTÈMES

En 1749, le *Traité des Systèmes* tire la leçon de l'*Essai*. D'un côté, c'est le procès de la méthode déductive et du système cartésien; de l'autre, c'est l'apologie de la méthode inductive et du système newtonien. Car il y a de vrais et de faux systèmes, comme une vraie et une fausse méthode, une vraie et une fausse métaphysique.

I. *LES SYSTEMES FAUX*

Que l'esprit tende au système, c'est une chose très naturelle. Dans la science comme dans l'action, on organise les parties de telle sorte qu'elles se soutiennent et dépendent d'un seul principe. Or il y a trois sortes de principes. 1) *Des maximes ou notions abstraites* tenues pour indubitables. Mais puisqu'elles dérivent des faits, elles en sont les conséquences, elles n'en sont pas les principes. 2) *Des hypothèses* imaginées afin d'expliquer les faits. Mais puisque les faits le fondent, les hypothèses privées de faits restent de simples conjectures. 3) *Des faits donnés dans l'expérience* : puisque les « principes » précédents les supposent ou les exigent, ce sont les seuls vrais principes dont le vrai système doit relever (voir choix de textes 13).

Ainsi, les systèmes construits sur des postulats abstraits, des conceptions arbitraires, des définitions frivoles, sont stériles, contradictoires, et leur fragilité même est la rançon de leur audace. Ils reposent sur des passions, des préférences partisanes, et nous les croyons certains faute d'en voir l'absurdité. Bref, leurs principes prétendus « ne sont proprement qu'un jargon ». Ces systèmes, Condillac les raille, en imaginant un monde selon l'harmonie musicale, chaque étoile ayant sept planètes parce qu'il y a sept tons dans la gamme! Ils rejoignent au pilori les superstitions populaires, mêlées de crainte et d'espoir, d'extravagance et de naïveté, comme la croyance aux génies, la divinisation des planètes, les prédictions des astrologues — « art ridicule » — la magie, la chiromancie, l'onirocritique, les augures, les aruspices, les oracles, les préjugés multiformes, tellement « l'imagination va vite quand elle s'égare ». Où l'on retrouve, par-delà Bayle, la grande tradition sceptique. Quant aux « systèmes à la mode », ceux de Descartes, Malebranche, Leibniz, Spinoza, auxquels on joint le P. Boursier, ils supposent cette double erreur : 1) *Que l'âme a des idées innées;* 2) *que tout ce qui est dans les idées est véritablement dans les choses.* C'est qu'ils ignorent leur genèse et confondent aveuglément le principe et le produit. Mais leurs notions, contrairement aux notions géométriques qu'ils ont choisies pour modèle, sont fort mal déterminées, car ils n'ont pas de critère pour en mesurer la valeur. En fait, les idées abstraites sont partielles, inadéquates à l'égard de leurs objets. Si, dans le cas du cogito, la conscience de l'existence « nous est si intimement connue que rien n'est plus évident », la règle de l'évidence « ne saurait s'étendre à des cas différents de l'exemple qui l'a fait naître »; les concepts des philosophes « ne sont plus qu'un je-ne-sais-quoi qu'ils ne peuvent définir. » En dépit de leur génie, Malebranche n'a qu'une idée vague de l'entendement, de la volonté et de l'idée elle-même; Leibniz n'a qu'une idée vague de la force, des perceptions, de l'harmonie de ses monades; Boursier n'a qu'une idée vague de l'action de Dieu sur l'âme; Spinoza n'a qu'une idée vague de ses définitions, axiomes, démonstrations prétentieuses. Bref « il semble que les cartésiens soient faits pour remarquer l'inexactitude des idées des autres, ils ne réussissent pas à s'en faire eux-mêmes d'exactes ». Discrédité fortement dans sa métaphysique par Locke, dans sa physique par Newton, le cartésianisme s'écroule, car il repose sur du sable qu'il confond avec du roc (voir Choix de Textes, 14).

Mais l'abstraction récusée, que penser de l'*hypothèse*! Elle ne devient vérité qu'à la double condition d'éliminer toutes les autres et d'être elle-même confirmée. C'est facile en mathématiques, où les idées sont connues par une analyse exacte qui écarte toute erreur. C'est possible en astronomie pour le mouvement relatif des astres (à ce titre Copernic l'emporte sur Ptolémée). C'est difficile en physique, en chimie, en physiologie, car les choses sont trop complexes, l'expérience trop limitée pour une étude exhaustive. Ainsi, le projet cartésien d'engendrer tout l'univers à partir de ses éléments est une fable aventureuse qui n'enfante que des erreurs et « retarde le progrès des sciences », comme les chimères qu'elle remplace. L'hypothèse ne devient principe que si elle cesse d'être hypothétique!

II. *LE VRAI SYSTEME*

« On est bien près de connaître la méthode qui conduit à la vérité, quand on connaît celle qui en éloigne. » Puisque les faux systèmes sortent de l'imagination, le vrai système sortira de l'expérience. De même que pour expliquer le mécanisme d'une pendule, il faut saisir la disposition de ses rouages et le ressort de leur mouvement, « nous ne pouvons faire de vrais systèmes que dans le cas où nous avons assez d'observations pour saisir l'enchaînement des phénomènes. » Ainsi procéda Newton, car « sans entreprendre de former le monde, il se contenta de l'observer ». Certes, on peut faire des systèmes dans la science, la mécanique, les beaux-arts, la politique. Mais qu'on se propose d'expliquer ou de produire des effets, *ce sont les faits qui commandent, les faits qui sont les principes.* Il s'ensuit que les systèmes sont plus ou moins défectueux selon le genre envisagé. En politique, un système est nécessaire afin de gouverner l'Etat selon le bien général; mais vu la complexité, la mobilité des choses, il faut allier constamment, dans les projets de réforme, compétence et précaution. Dans la mécanique, les beaux-arts, les systèmes doivent dériver de l'expérience, source de tout règlement : les machines ne sont possibles qu'autant que nous observons comment la nature opère; les arts de parler, d'écrire, la poésie, la musique, la peinture et la sculpture, sortent du langage d'action expressif de nos besoins. En physique enfin, il faut enchaîner des faits précis dans un ordre rigoureux, seul moyen de transformer l'hypothèse en certitude [1]. Ce n'est pas le cas des cartésiens, avec leurs lois arbitraires et leurs forces inconnues; c'est celui de la physique expérimentale, qui explique « des faits par des faits ». La liaison des phé-

1. Condillac donne la formule de la *méthode expérimentale* à propos des hypothèses : « Elles sont des moyens ou des soupçons, parce que l'observation, comme nous l'avons remarqué, commence toujours par un tâtonnement : mais elles sont des principes ou des vérités premières, lorsqu'elles ont été confirmées par de nouvelles observations, qui ne permettent plus de douter... Ici les observations indiquent toutes les suppositions qu'on peut faire, et l'explication des phénomènes confirme celles qu'on a choisies. L'hypothèse ne laisse donc rien à désirer. » Chapitre XII, « Des hypothèses », pp. 328, 331.

nomènes suggère des observations et des « expériences bien faites » (comme celles de Torricelli, de Pascal), jusqu'à ce qu'on trouve « une loi qui tiendra lieu de toutes les lois, parce qu'elle sera applicable à tous les cas. » Tel est le triomphe de Newton : la gravitation universelle est un *fait fondamental* observé dans tous les autres, donc un *principe véritable*, susceptible de s'étendre à des phénomènes nouveaux. Contre la stérilité des systèmes philosophiques, il convient de s'inspirer de la science de la nature pour faire la science de l'esprit.

3. LE SYSTEME DE L'HOMME

Le vrai système, ce sera le *Traité des Sensations*. Mais pourquoi reprendre l'*Essai*, dont les résultats sont acquis ? C'est que malgré ses richesses, l'*Essai* présente des lacunes dont Condillac prend conscience. 1) D'abord, il envisage les sensations *en général*, sans voir leur diversité ni leur influence mutuelle; si bien qu'il paraît encore, en se réclamant du concret, bâtir sur une abstraction. 2) De plus, il ne dit rien de l'affectivité, de la volonté, de la personnalité; si bien qu'il paraît réduire l'esprit au seul entendement. 3) En outre, il condamne l'abus des notions mal définies, sans se soucier de les refaire; si bien qu'il paraît plutôt négatif que positif. 4) Enfin, et plus largement, s'il analyse la pensée, il néglige le monde extérieur. Sans doute, il affirme, comme Locke, que la matière cause la sensation. Mais cette matière est plutôt postulée que démontrée; si bien qu'au lieu de justifier la croyance commune aux objets, il paraît se cantonner, au mépris de l'expérience, dans un pur subjectivisme. Pour expliquer l'homme dans le monde, le lien du sujet et de l'objet, il faut alors s'attaquer à l'objet comme au sujet, analyser le monde comme l'homme.

Ce problème de l'extériorité ne s'impose pas seulement par une exigence interne. Condillac en est saisi par son bon ami Diderot dans un manifeste public. En 1749, l'année du *Traité des systèmes*, Diderot publie sa *Lettre sur les aveugles à l'usage de ceux qui voient*, adressée à Mme de Puisieux. Il ne se contente pas de discuter le problème de Molyneux; il aborde le problème de la matière, et constate

Le domaine de Condillac

(Photo Françoise Pascal.)

Portrait de Locke, d'après une gravure du temps

(Photo Roger Viollet.)

qu'en réduisant la pensée à la sensation, simple mode de la pensée, Condillac rejoint Berkeley, fondateur extravagant de l'idéalisme absolu, honte de la philosophie pour un Encyclopédiste [1]. C'était une sorte de défi : Condillac ne pouvait plus, sous peine de négation absurde, négliger le monde extérieur. Ayant pris les sensations comme des modes de la pensée, il risquait de résorber le monde dans les impressions de l'âme : la prévalence du sujet rongeait l'objectivité. *Il devait donc démontrer que l'idéalisme absolu n'était pas la conclusion du sensualisme radical, que la position de la matière s'inscrivait légitimement dans la genèse de l'esprit, que le sens commun avait raison de croire à l'existence des corps.* Il lui fallait désormais, à l'aide du principe même dont l'*Essai* avait tiré la genèse de la pensée, expliquer la genèse du monde; rejoindre l'extériorité à partir de l'intériorité; montrer comment, par le jeu de la sensation transformée, les impressions subjectives se rapportent à des objets. Au total, reprendre l'*Essai* avec plus de profondeur, pour former,

1. « On appelle *idéalistes* ces philosophes qui, n'ayant conscience que de leur existence et des sensations qui se succèdent au-dedans d'eux-mêmes, n'admettent pas autre chose : système extravagant qui ne pouvait, ce me semble, devoir sa naissance qu'à des aveugles; système qui, à la honte de l'esprit humain et de la philosophie, est le plus difficile à combattre, quoique le plus absurde de tous. Il est exposé avec autant de franchise que de clarté dans trois dialogues du docteur Berkeley, évêque de Cloyne : il faudrait inviter l'auteur de l'*Essai* sur nos connaissances à examiner cet ouvrage; il y trouverait matière à des observations utiles, agréables, fines, et telles, en un mot, qu'il les sait faire. L'idéalisme mérite bien de lui être dénoncé; et cette hypothèse a de quoi le piquer, moins encore par sa singularité que par la difficulté de la réfuter dans ses principes; car ce sont précisément les mêmes que ceux de Berkeley. Selon l'un et l'autre, et selon la raison, les termes essence, matière, substance, suppôt, etc., ne portent guère par eux-mêmes de lumière dans notre esprit; d'ailleurs, remarque judicieusement l'auteur de l'*Essai sur l'origine des connaissances humaines,* soit que nous nous élevions jusqu'aux cieux, soit que nous descendions jusque dans les abîmes, nous ne sortons jamais de nous-mêmes; et ce n'est que notre propre pensée que nous apercevons ; or, c'est là le résultat du premier dialogue de Berkeley, et le fondement de tout son système. Ne seriez-vous pas curieuse de voir aux prises deux ennemis, dont les armes se ressemblent si fort ? Si la victoire restait à l'un des d'eux, ce ne pourrait être qu'à celui qui s'en servirait le mieux; mais l'auteur de l'*Essai sur l'origine des connaissances humaines* vient de donner, dans un *Traité des systèmes,* de nouvelles preuves de l'adresse avec laquelle il sait manier les siennes, et montrer combien il est redoutable pour les systématiques. »

par analyse de l'expérience intégrale, *un système complet de l'homme agissant parmi les choses.* Or, chose étrange, atten'if à saisir mieux le réel, Condillac use d'une fiction! Sa fameuse statue immoblle, animée d'un esprit vierge, qui reçoit les divers sens, il ne l'a peut-être pas inventée — elle apparaît chez Diderot — mais il l'adapte aux conditions de son enquête. Comme le Malin Génie de Descartes, c'est une pièce méthodologique. Elle permet de décomposer l'ensemble des sensations, d'apprécier leurs différences, de saisir leurs relations, de fixer précisément celle qui est à l'origine de l'affirmation du monde que toutes les autres répètent, de recomposer ainsi dans leur unité vivante, à partir de l'élément simple, le lien du sujet et de l'objet, l'action de l'âme dans l'univers.

I. *LA RENCONTRE DU MONDE*

1. *Les sensations subjectives.*

C'est aux sens « qui par eux-mêmes ne jugent pas des objets extérieurs » que l'analyse s'attache d'abord : position subjectiviste strictement expérimentale, car *le sensible* est d'abord *un sentiment.* En montrant que ces sens suffisent à engendrer la pensée, nullement à engendrer le monde, on prouve que l'objectivité fait problème; on ruine les solutions fausses pour trouver la véritable.

1) L'ODORAT. Commençons par l'odorat. C'est le sens le plus subjectif, le plus borné, le plus pauvre : Condillac tient cette gageure d'en tirer la vie mentale. La statue sent-elle une rose ? Elle est l'odeur même de rose. Sans aucune idée des choses ni des autres qualités, elle sera donc odeur de rose, d'œillet, de jasmin, de violette, au hasard de ses impressions. Pourtant, dès qu'elle sent l'odeur, la statue commence aussitôt à jouir ou à souffrir, car l'odeur est aussitôt agréable ou désagréable. Ce n'est jamais un état neutre, complètement indifférent (on l'estime indifférent par rapport à d'autres qui le sont moins). En elle-même, la sensation a toujours un intérêt, un degré de peine ou de plaisir, une qualité affective. Cette valeur sentimentale de la sensibilité, que ne soulignait pas l'*Essai*, passe au premier plan du *Traité*, parce qu'elle est le principe du dévelop-

pement spirituel. C'est elle qui permet de lier au progrès de l'entendement le progrès de l'affectivité et le progrès de l'activité, dans une
commune ascension.

S'agit-il de l'*entendement* ? A la première odeur, la statue se consacre exclusivement : c'est *l'attention*. Si cette odeur ne lui laissait nul
souvenir, elle croirait à chaque odeur sentir pour la première fois
dans un présent uniforme, et ne jugerait d'aucun rapport. Mais l'o-
deur peut subsister quand le corps odoriférant cesse d'agir. L'attention retient alors une impression d'autant plus forte qu'elle-même a
été plus vive : c'est la *mémoire*. Quand la statue « *est* » donc une
nouvelle odeur, elle conserve encore présente l'impression de celle
qu'elle « *a été* »; sa sensibilité se partage entre la sensation passée
et la sensation actuelle (la première étant ordinairement, mais pas
toujours, moins vive que la seconde); et ce passage continu par deux
manières d'être différentes lui fait connaître son changement, sa succession, sa *durée*. Certes, la statue est active par rapport au souvenir, puisque sa cause est en elle, tandis qu'elle est passive par rapport à la sensation, puisque sa cause est dans les corps. Mais ignoe-
rant pour l'instant la causalité des corps, elle ne sent pas de différence,
et tous ses modes sont pour elle « comme si elle ne devait qu'à
elle-même ». Cependant, plus la mémoire a l'occasion de s'exercer, plus elle agit facilement, et son action réitérée se transforme en
habitude, ou faculté de répéter ce qu'on a fait. Si l'attention se partage entre la sensation et le souvenir, elle engendre la *comparaison*,
qui s'attache à deux idées en même temps. De la comparaison naît le
jugement, qui saisit les ressemblances et différences, et l'enchaînement des jugements selon les rapports multiples constitue la *réflexion*, elle aussi capable d'habitude.

S'agit-il de l'*affectivité* ? « Premier mobile » de l'attention, elle
détermine toutes les autres facultés, et tout d'abord l'entendement.
La statue passe-t-elle brusquement d'une sensation habituelle à une
autre différente, d'un plaisir à une douleur ? Elle éprouve de l'*étonnement* (Descartes disait de l'Admiration), qui intensifie son jugement. Le plaisir et la douleur sont-ils plus ou moins vivaces ? La
mémoire est plus ou moins forte, et retrace « préférablement » ce
qui contribue au bonheur. Le souvenir se fortifie-t-il jusqu'à donner l'impression d'une sensation présente ? C'est *l'imagination*, capa-

ble de lier les souvenirs en combinaisons nouvelles, en fonction de nos sentiments. Au reste, plaisir et douleur ont de multiples degrés : un plaisir intensifié devient douleur, une douleur diminuée plaisir; un plaisir faible se localise, un plaisir vif s'irradie et s'accompagne d'émotion. Enfin, de la comparaison de ces deux sentiments naît le *désir* qui n'est donc pas primitif, comme chez Descartes, Spinoza. Pour désirer, la statue, éprouvant une sensation douloureuse, doit sentir d'abord le besoin d'être mieux que ce qu'elle est, confronter l'état présent avec un état passé, juger qu'il est important de cesser d'être ce qu'elle est pour devenir autre chose (tout cela impliquant l'idée de changement, de succession). Ce besoin produit le désir, qui se trouve ainsi réduit : à la racine de la tendance, on découvre une « inquiétude » née d'un rapport affectif, de la possession d'un mal et de la privation d'un bien (voir choix de Textes 15).

Du désir naissent les *passions*, désirs violents provoqués par un écart excessif entre l'inquiétude et l'objet, dont l'âme « s'occupe uniquement ». Elle *aime* l'objet dont elle jouit, elle *hait* l'objet dont elle souffre, elle *espère* de nouvelles joies, elle *craint* de nouvelles souffrances, et sa haine ou son amour, sa crainte ou son espérance, ont des aspects multiformes.

S'agit-il de *l'activité* ? Dejà, toutes les facultés se développent par *l'habitude,* qui rend l'acte plus facile. Il suffit en outre que la statue se souvienne d'avoir satisfait des désirs pour qu'elle espère pouvoir en satisfaire d'autres. Si elle y trouve de l'intérêt, le sentiment de cet *intérêt* joint à celui de son *pouvoir* engendre la *volonté*, qui est « un désir absolu tel que nous pensons qu'une chose désirée est en notre pouvoir. »

Maintenant, si l'odorat engendre toutes les facultés, quelles idées en sortent-elles ? Puisqu'elle passe par des états de plaisir et de douleur, la statue forme les idées de *contentement-jouissance* et de *mécontentement-souffrance,* qui lui paraissent semblables dans des sensations diverses. (Elle ne peut former toutefois l'idée générale d'une fleur, par exemple de la violette, car elle ignore que la même odeur vient de diverses violettes.) Elle forme l'idée de *nombre*, unité, pluralité, en distinguant les états par où elle passe : mais comme elle ne se rappelle guère que deux ou trois états distincts, elle ne dépasse pas le nombre trois, prolongé par l'idée vague d'une multi-

tude indéfinie. Connaissant des idées vraies, particulières et générales (les premières fondant les secondes), elle a l'idée de *vérité*.
Habituée à être une odeur, à cesser de l'être, à le redevenir, elle a
l'idée de ce qui peut exister ou ne pas exister, du *possible* et
l'*impossible*. De la succession de ses états, elle forme l'idée de *durée* :
durée *passée*, car elle sent qu'elle a cessé d'être ce qu'elle était; durée
à venir, car elle attend les sensations qui se répètent. Là encore, elle
n'embrasse guère plus de trois instants distincts, prolongés dans les
deux sens en durée indéfinie. Cette durée, dont elle n'aperçoit ni
commencement ni fin, lui donne l'idée de l'*éternité*. Mais la succession de ses sensations se combinant avec celle de ses souvenirs, elle
mesure la durée d'un souvenir par la suite de sensations qu'elle
éprouve pendant qu'elle l'évoque, comme la durée d'une sensation
par la suite des souvenirs qu'elle évoque pendant qu'elle l'éprouve :
on voit donc que l'idée de durée est elle-même toute relative (voir
Choix de Textes 16). Quand sa mémoire et son imagination sont
fatiguées de s'exercer, la statue perd par degrés, comme une lumière
qui s'éteint, « le sentiment de son existence », et tombe alors dans le
sommeil. Dans cet état, si elle garde une activité partielle, elle
songe; et l'ordre de ses idées diffère de celui de la veille, car certaines, interceptées, échappent à son pouvoir; tandis que le réveil
des autres, n'étant plus réglé par le plaisir, peut contribuer à son
malheur. Ignorant la différence entre imaginer et sentir, elle ignore
la différence entre songer et veiller, et tout ce qu'elle éprouve lui
semble également réel. Enfin, elle forme l'idée de sa *personnalité*,
en remarquant qu'elle n'est plus actuellement ce qu'elle a été, par
un retour sur elle-même qui révèle en son changement la persis-
tance du même être. Le *moi* résulte de la « collection » des sensations éprouvées et des sensations rappelées, de ce qu'elle fut et de
ce qu'elle est.

Cette genèse inspire trois remarques : 1) L'interférence de l'entendement, de l'affectivité, de l'activité interdit le cloisonnement de
l'âme et confirme excellemment l'unité de son développement. 2) La
dualité cartésienne de l'entendement passif et de la volonté active,
est par suite abandonnée. Passivité, activité sont relatives et cor-
rélatives : la sensation simple est passive en tant que l'âme la subit; mais elle est grosse déjà d'un minimum d'attention, c'est-à-

dire d'activité, que la réflexion déploie pour faire les idées complexes : si bien qu'il n'y a pas de hiatus entre nature et liberté. 3) Le sujet pensant s'explique par une suite de métamorphoses à partir d'un germe unique. L'entendement sort de la comparaison, qui sort, comme l'imagination, de la mémoire, qui sort de l'attention sensible; la volonté sort, comme la passion, du désir, qui sort lui-même du besoin, qui sort de l'affection sensible : *la sensation* est donc bien la source de toute vie mentale subjectivement définie.

2) LES AUTRES SENS. — *Ce qu'on dit de l'odorat vaut pour l'ouïe, le goût, la vue : aucun ne peut engendrer l'idée du monde extérieur; chacun pourrait engendrer toutes les facultés de l'âme.* Mais quoique, avec un seul sens, la statue en aurait autant qu'avec les cinq réunis, leur réunion est doublement bénéfique : chacun comporte un aspect différent de sensation, et permet par conséquent de former de nouvelles idées.

L'ouïe toute seule fournit un son, qu'aussitôt la statue « devient ». Comme dit Ovide, « c'est le son qui vit en elle ». Si le son est plus ou moins fort, elle sent donc plus ou moins son existence, à l'exclusion de tout objet. Or, elle entend, soit des *sons* dont le rapport est déterminé, soit des *bruits,* dont le rapport est vague; et la succession des sons lui causant plus de plaisir que la succession des bruits, elle savoure l'émotion de la mélodie; elle s'accoutume, par des chants plus composés, à connaître de nouveaux plaisirs; elle distingue un bruit d'un air (un chant du bruit d'un ruisseau) lorsqu'elle les éprouve ensemble, après les avoir éprouvés séparément. Enfin, sa mémoire conserve aisément la suite des sons, dont la liaison est plus forte. Maintenant, supposons que l'ouïe se réunisse à l'odorat. La statue n'en retire pas l'idée du monde extérieur; mais elle sait distinguer leurs impressions séparées, puis simultanées. Dès lors, « il lui semble que son être augmente et acquiert une double existence »; sa mémoire s'étend et se diversifie; un son rappelle des odeurs, une odeur rappelle des sons; elle forme plus d'idées abstraites, puisqu'elle a plus de « manières d'être » d'où ces idées sont tirées.

Le *goût* fournit à la statue l'ensemble de ses facultés. Mais plus que les autres sens, il contribue à son bonheur ou son malheur, car il l'affecte plus vivement, comme on peut voir par la faim. Uni à l'ouïe, à l'odorat, il « triple » son existence, étend la chaîne de ses idées, de ses désirs, de ses habitudes; bien qu'il soit plus malaisé de distinguer la saveur de l'odeur que l'odeur ou la saveur du son.

Quant à *la vue*, elle paraît découvrir immédiatement l'existence du monde externe, de l'espace et des objets. C'est là l'opinion commune, que Condillac avait soutenue dans l'*Essai*; aussi ne s'y souciait-il pas de prouver cette existence, qui semblait aller de soi. Il s'était pourtant heurté au problème de Molyneux, formulé en 1686 : un aveugle-né, recouvrant soudain la vue, distinguerait-il par la vue un cube d'une sphère, qu'il aurait appris d'abord à distinguer par le toucher ? *A priori*, Molyneux avait répondu non, et Locke l'avait approuvé, estimant qu'il y faudrait un certain apprentissage de la vue par le toucher. Développée par Berkeley en 1709, dans sa *Nouvelle théorie de la vision*, cette thèse avait finalement reçu le sceau de l'expérience, lorsqu'en 1728, le chirurgien Cheselden avait levé les cataractes d'un aveugle-né de quatorze ans, observation publiée dans les *Philosophical Translations of the Royal Society*. L'enfant avait déclaré que les objets touchaient ses yeux, et que sa vue ne distinguait pas ce que ses mains avaient distingué. Enfin, Voltaire, en 1738, dans ses *Eléments de la philosophie de Newton* avait vulgarisé et la thèse de Berkeley et l'expérience de Cheselden, pensant lui aussi que l'espace est enseigné pratiquement à la vue par le toucher. Malgré tout, l'*Essai* maintenait, comme jadis Descartes, Malebranche, la primauté de la vue dans la perception spatiale. Il refusait de mêler à la sensation visuelle de prétendus « jugements », dont nous n'avons nulle conscience : la vue, comme toute sensation, se livre à nous telle qu'elle est, sans adjonction mystérieuse, et l'espace comme la couleur est une donnée immédiate. Quant à l'opéré de Cheselden, qui semble attester le contraire, sa vue est d'abord confuse parce qu'elle manque d'exercice. Il lui suffirait d'appliquer peu à peu son attention pour discerner les objets sans recourir aux autres sens, comme quand on inspecte un tableau un peu complexe...

Mais dans le *Traité*, tout change ! Condillac renie l'*Essai*, pour se rallier à Voltaire, à Berkeley, à Locke, et même les surpasser. *Cette autocritique s'explique, parce qu'il a dans l'intervalle approfondi la question de la croyance au monde extérieur, et que la discrimination du rôle des divers sens l'amène négativement à refuser à la vue ce que, positivement, il attribue au toucher.* Pas plus que l'odorat, l'ouïe ou le goût, la vue n'engendre le monde : elle ne saisit des rayons, comme l'a remarqué Berkeley, que le point qui frappe la rétine, nullement leur source éloignée. Quant aux couleurs, « manières d'être » intérieures à la pensée, elle ne peut en embrasser, comme l'a remarqué Diderot, qu'une impression fort confuse, qu'elle apprend à démêler par un effort d'attention. Elle parvient sans doute à en discerner plusieurs — du rouge, du jaune, du vert — successivement et simultanément perçues. Mais ces sensations contiguës lui apparaissent étendues d'une extension subjective. La statue se sent seulement comme une surface colorée diversement modifiée; mais ce n'est pas une surface déterminée, faute de l'idée de *solide* capable de la supporter, ni une grandeur déterminée, faute de l'idée de *limite* capable de la circonscrire. C'est donc une étendue « vague », indéterminée, confuse, sans bornes et sans figures, puisque la figure implique que l'esprit saisisse l'ensemble en parcourant chaque partie, comme on fait pour un triangle; sans situation, ni mouvement, lesquels supposent un espace où les objets se distribuent. Elle ne sent rien que ses modes, qui, certes, multiplient son existence, mais n'expriment d'aucune façon l'existence de la matière, ni même sa propre substance. On ne sort pas du *phénomène subjectif.*

A ce stade de l'analyse, la question demeure donc entière : comment contractons-nous « l'habitude de rapporter au-dehors des sensations qui sont en nous ? » Comment voyons-nous des objets ? *Pour la résoudre à présent, il ne reste que le toucher.*

2. *Le toucher révélateur.*

Le toucher est le seul sens qui juge immédiatement des existences extérieures. Mais il faut le démontrer sous peine de se contenter d'une affirmation gratuite. Au vrai, ce rôle du toucher n'est nullement une nouveauté : c'est même une curieuse histoire! Déjà Locke avait admis, sous l'influence de Molyneux, que dans la perception spatiale, le toucher primait la vue, par conséquent l'éduquait. Berkeley, plus fortement, avait réservé au tact l'initiative exclusive dans cette perception spatiale. Mais il l'avait intégré à son immatérialisme, professant que si le tact peut percevoir la distance, cela ne permet pas de conclure qu'il existe de la matière à la source de cette perception : comme toute autre sensation, la distance est subjective; elle n'atteste que l'esprit; c'est une langue que Dieu nous parle. Mais Voltaire, vulgarisant la théorie de Berkeley, en renverse la conclusion : accordant décidément le sens de la distance au toucher (ce que Cheselden confirme), il estime que le toucher atteint l'existence des corps, par conséquent rétablit une perspective réaliste conforme au sens commun et contraire à Berkeley. Or c'est surtout par Voltaire que Condillac connaît Berkeley. *Si bien que c'est par Voltaire qu'il emprunte à Berkeley une conception du toucher, qui lui permet de renverser l'idéalisme de Berkeley et de lever les craintes de Diderot : il attribue au toucher, à la fois le sens de l'espace que Berkeley lui reconnaît, et le sens de l'extériorité que Berkeley lui refuse.* Il s'ensuit que son analyse est plus vaste et plus précise : plus vaste, car il ne pose pas la seule question de l'espace, mais celle du monde extérieur; plus précise, car il ne se borne pas à invoquer le toucher; mais cherche ce qui, dans le toucher, implique l'extériorité.

C'est qu'en effet, le toucher est largement subjectif. Il fournit à la statue un « *sentiment fondamental* », né de l'action des parties de son corps les unes sur les autres, et surtout des mouvements de sa respiration. Ce « moindre degré de sentiment », qui commande sa vie animale, se modifie diversement sous l'impression de l'air, des chocs. Mais puisqu'elle peut dire « moi » à chaque modification, ce sentiment est la même chose que son moi, à l'exclusion de tout objet. Un air tranquille, tempéré, avec une chaleur constante, lui donne un sentiment simple; un air plus chaud ou plus froid suffit à le rendre plus vif, sans qu'elle remarque pour cela les diverses parties de son corps. La frappe-t-on de la tête aux pieds, la transporte-t-on dans les airs ? Son existence se modifie, sans que ces modifications produisent l'idée d'étendue, puisqu'au contraire, elle ne peut les projeter dans l'étendue que si elle la connaît déjà.

Mais comment la connaît-elle ? Nous ne concevons un corps que « comme un continu formé par la contiguïté de plusieurs autres corps étendus ». Nous ne saurions donc faire de l'étendue qu'avec de l'étendue, et des corps avec des corps; autrement dit, puisqu'un corps est étendu ou n'est pas, il faut, pour qu'une sensation donne la connaissance des corps, qu'elle produise immédiatement « le phénomène de l'étendue ». Or, la découverte de son corps et des corps environnants est la première que fait l'enfant : loin de se concentrer dans l'âme, son moi se répand et se répète dans toutes les parties de son corps. Pareillement, la statue produit ses premiers mouvements, non par dessein de se servir de ses membres, qu'elle ignore; mais naturellement, par instinct, ses douleurs et ses plaisirs la poussant spontanément à chercher ce qui est utile et fuir ce qui est nuisible. Ces mouvements répétés, touchant son corps et les corps, parviennent à les différencier. *C'est que le toucher procure une sensation spéciale, inconnue des autres sens : celle de la solidité que la résistance des corps oppose à notre mouvement.* Quand deux corps se pressent et se résistent mutuellement, nous les jugeons impénétrables. Notre impression de solidité, ou de résistance, sera pareillement perçue, non comme un simple mode de l'âme, mais comme le sentiment d'une relation effective entre deux choses qui s'excluent. Or, elle va jouer en deux sens. D'une part, portant sa main sur une partie de son corps, l'âme sent que cette main et cette partie sont deux choses « l'une hors de l'autre », et que cependant son moi se retrouve dans l'une et l'autre : elles sont distinctes, mais siennes. Conduisant ensuite sa main sur toutes les parties de son corps, elle sent corrélativement la continuité de son moi et la continuité de son corps, dans lequel son moi se répand : il est sien, et il est un. D'autre part, portant sa main sur quelque corps étranger, elle sent alors que son moi est modifié dans sa main, mais n'est pas modifié dans le corps; elle juge par là que ce corps n'appartient pas à son moi, et groupe en un seul objet les sensations contiguës. Par la seule « solidité », le monde prend sa « consistance »; son corps et les autres corps lui paraissent naître « sous ses mains ». Enfin, par une série de tâtonnements et d'essais, elle apprend progressivement à régler tous ses mouvements en vue de sa conservation, à les lier à ses désirs, par suite à sa volonté, afin d'agir dans le monde [1]. (Voir Choix de Textes 17.)

1. Sur ce point, le *Traité* a varié en se précisant. Dans la première édition (1754), il professe que si la statue sent « en même temps de la chaleur à un bras, du froid à l'autre, une douleur à la tête, un chatouillement aux pieds, un frémissement dans les entrailles, etc. », ces impressions différentes paraissent « les unes hors des autres ». La multiplicité des sensations tactiles inétendues suffit donc à engendrer une idée « vague » d'étendue; mais la sensation de résistance est seule capable cependant d'engendrer l'extériorité. Reconnaissant dans l'*Extrait raisonné du Traité des sensations* (1755) que « ce problème a été mal résolu », Condillac, dans la seconde édtion (1778), professe une thèse plus précise. Ce n'est pas par un raisonnement que s'effectue le passage de la

De là sortent pour la statue des *plaisirs* et des *idées*. Des plaisirs ? Celui de se mouvoir, comme on voit chez les enfants, qui en tirent une conscience plus vive et plus joyeuse d'exister; celui de palper ensuite et de manier les objets; celui de découvrir l'espace et d'y transporter son corps; de remarquer les contrastes, la solidité et la fluidité, la dureté et la mollesse, le mouvement et le repos; de comparer, de juger, de faire naître l'univers sous ses mains et sous ses pas, jusqu'à ce que la fatigue lui fasse apprécier le sommeil. Grâce au mouvement, son désir n'est donc plus d'imaginer, mais de se procurer la jouissance. L'amour de soi se transfère aux choses qui la satisfont, dont elle se détache ensuite lorsqu'elles cessent d'être agréables. Découvrant l'espace ambiant « il lui semble qu'elle le tire du sein de son être »; elle jouit de nouveaux espaces, de nouveaux objets, de nouveaux plaisirs, elle juge qu'elle a des découvertes à faire, « devient capable de curiosité », qui est le désir de nouveau, et souvent, « l'unique mobile de ses actions ». Ses douleurs l'obligent, par ailleurs, à modérer ses élans, balançant la confiance par la défiance et l'espérance par la crainte : d'où une sorte « d'industrie », un art de régler ses mouvements et de se servir des objets en vue du meilleur usage. « En un mot, le plaisir et la douleur sont ses seuls maîtres. »

Quant aux *idées*, elles prospèrent par les sentiments et mouvements d'une manière indéfinie, car elles comprennent « tous les rapports des grandeurs, c'est-à-dire une science que les plus grands mathématiciens n'épuiseront jamais ». Leur étendue est fonction de l'étendue des intérêts; l'ordre de leur acquisition, de la rencontre fortuite des objets ou du degré de simplicité de leurs rapports. Les premières idées acquises sont celles de solidité, dureté, chaleur, etc., qui résultent de la comparaison des corps. Bientôt, la curiosité découvre de nouveaux rapports; la main circonscrit les choses, remarque leur étendue, leurs formes, leurs différences, acquiert l'idée de ligne droite, de ligne courbe, de figures, dont elle saisit les con-

---

sensation à l'objet, c'est par le moyen du *mouvement et de la sensation de solidité, ou de résistance.* Cette donnée immédiate contient « le phénomène de l'étendue », propriété irréductible objectivement présente à la subjectivité, qui porte en soi sa limite : l'*étendue* et l'*extériorité* de l'objet relèvent donc solidairement de la sensation de solidité et de résistance provoquée par le mouvement.

trastes, comme elle a saisi le contraste entre le chaud et le froid. L'objet résulte finalement d'une analyse naturelle, qui démêle et qui rassemble les perceptions et les rapports. La réunion des jugements provoqués par un objet forme l'idée de cet objet, et les multiples objets forment des touts différents avec des rapports multiples. Ainsi *le toucher, projetant les modifications du moi en modifications de l'étendue, engendre l'extériorité ignorée des autres sens*. Les choses sont des collections de perceptions tactiles réunies, à l'exclusion de toute substance, ou substratum mystérieux.

De ces objets singuliers, la statue tire une foule d'idées abstraites : celles de *solidité, figure, mouvement*; celle de *nombre* dont ses doigts fournissent les premiers signes et qui précisent toutes les autres; de *durée*, ou succession de ses diverses idées, représentée comme une ligne parcourue pour le passé, à parcourir pour l'avenir; d'*espace*, ou coexistence des idées dans un seul corps qui sert à en mesurer d'autres, de *vide*, quand elle ne sent pas la résistance de l'air; d'*immensité*, quand elle imagine, au-delà de l'espace senti, un espace qui n'a pas de bornes; d'*éternité*, quand elle imagine, au-delà de la durée vécue, une durée qui n'a pas de fin; ces deux dernières idées, d'ailleurs, n'étant que des illusions de son imagination. Quant aux notions « d'être, de substance, d'essence, de nature, etc. », elle ne les acquiert jamais, et « ces sortes de phantômes ne sont palpables qu'au tact des philosophes », qui n'en savent pas plus que la statue! Les *idées intellectuelles* ne sont jamais que le souvenir élaboré des sensations précédentes, et servent à les préciser.

Il en résulte trois choses : 1) D'abord, si les sensations sont source des connaissances « les idées en deviennent le fond », car elles permettent des jugements capables de s'appliquer à des sensations nouvelles. Ainsi les idées acquises servent à en acquérir d'autres; le sensible engendre l'idée qui détermine le sensible, ce qui est le ressort même de la méthode expérimentale. 2) Par suite, si l'on méconnaît la génération des idées, on postule qu'elles sont innées, et le divorce métaphysique du sensible et de l'intelligible engendre les faux systèmes, ceux de Descartes ou de Platon qui ont contrarié la science. 3) Enfin, à ses débuts, la statue n'acquiert jamais qu'une connaissance pratique fort bornée et fort confuse, car elle n'a pas de langage. Elle se conduit par l'habitude contractée d'après ses idées, mais sans réfléchir aux idées qui lui ont appris à se conduire. Ainsi, l'idée née de l'action se résorbe dans l'action; c'est le besoin qui nous les donne et le besoin qui nous les reprend. Par contre, « pour acquérir des connaissances théoriques, il faut nécessairement avoir un langage, car il faut classer et déterminer les idées, ce qui suppose des signes employés avec méthode ». Où l'on rejoint heureusement les conclusions de l'*Essai*.

Cependant, la statue, lassée de se mouvoir, s'endort, tandis que ses idées s'éteignent, jusqu'à ce que le réveil lui rende une nouvelle vie. Elle n'a d'ailleurs nulle idée de la durée de son sommeil, n'y remarque nulle succession, ne saisit que l'opposition entre l'instant de faiblesse qui le précède et l'instant de force qui le suit, souligné par la secousse de ses facultés renaissantes. Quant aux *songes*, ils s'apparentent à l'imagination, qui fait paraître « présent ce qui est absent », et « combine les qualités » en vue de jouissances plus grandes ou de désirs excessifs. Parfois pénibles, ils résultent de l'interception de certaines idées qui laisse les autres se reproduire en désordre, et le souvenir qu'elle en garde est fonction de leur contraste avec l'ordre de la veille. Tels sont les fruits du toucher, dont la main mobile et flexible est l'organe incomparable (voir Choix de Textes 18).

II. *L'ACTIVITE DE L'AME*

1. *Le toucher éducateur.*

Le problème de l'extériorité résolu par le toucher en soulève de suite un autre. Faut-il admettre dans l'esprit deux espèces de sensations, l'une qui dépend de la matière, l'autre qui n'en dépend pas ? Comment tirer du sensible une genèse homogène si l'on installe dans le sensible l'hétérogénéité ? N'a-t-on évité la coupure entre l'esprit et le monde qu'en acceptant une coupure entre les données de l'esprit ? C'est l'unité de la doctrine, l'unité de son principe, qui est désormais en cause. Au surplus, le sens commun n'attribue-t-il pas aux corps l'ensemble des sensations ? Et cette croyance générale, fortifiée par la pratique, ne doit-elle pas être expliquée, dans les limites de l'expérience qu'analyse le philosophe ?

Ce problème était absent de l'*Essai*, qui pensait que toute sensation se rapporte à un objet sans s'inquiéter davantage de cette objectivité. Mais si l'objectivité a sa source dans un seul sens, on ne peut l'accorder aux autres sans justifier cet accord. Il s'agit donc de montrer « comment le toucher apprend aux autres sens à juger des objets extérieurs », de *poursuivre la genèse, à partir de la tactilité, de l'extériorité dans la sensibilité*. Certes, Locke, Berkeley, Voltaire avaient préparé le thème. Ils avaient dit que le toucher enseigne à la vue l'espace, que la perception associe des sensations différentes, des souvenirs et des jugements. Condillac reprend le thème avec une ampleur nouvelle : ce n'est plus l'espace, c'est le monde; ce n'est plus le rapport de la vue et du toucher, c'est le rapport de tous les sens, qui doit être examiné. La question est de savoir comment peut se constituer, par l'interaction des sens, leur enrichissement mutuel, l'activité de l'homme dans le monde.

Voyons d'abord l'influence du *toucher sur l'odorat*. Conduite dans un parterre de fleurs, la statue sent les odeurs comme ses propres matières d'être, sans en soupçonner la cause. Mais qu'elle cueille une fleur, l'approche ou l'éloigne de son visage, l'odeur se fait plus ou moins vive. Cette expérience répétée lie la sensation d'odeur à la sensation tactile, le sentiment au mouvement, et finalement à l'objet. Elle juge que l'odeur vient de la fleur, qu'elle y est, et qu'elle l'y sent : *les modifications de l'âme deviennent des qualités des corps*. Dès lors, elle peut distinguer les corps odoriférants de ceux qui ne le sont pas, distinguer diverses classes, distinguer diverses fleurs séparées ou en bouquet, avec le secours du tact : nouvelles idées, nouveaux plaisirs, que la vue multipliera.

Joignons-y l'ouïe. La statue « est » d'abord le bruit des oiseaux, de la cascade, des arbres, du tonnerre ou de l'orage. Qu'elle approche de son oreille et éloigne un corps sonore, elle juge que le son vient du corps, bien qu'il soit dans son oreille. Elle s'habitue à confondre ses manières et celles du corps; *elle entend le son dans le corps*. La chose même lui devient si familière qu'elle n'a plus besoin de tact pour extérioriser le son. Elle peut alors discerner les sons provenant de corps distincts lorsqu'elle les entend ensemble; juger à l'ouïe des distances, des situations des objets, en se méprenant parfois·

Avec *la vue*, l'affaire se complique. C'est à elle que le sens commun attribue le sens de l'espace; et c'est pourtant le toucher qui lui « apprend à voir la distance, la situation, la figure, la grandeur et le mouvement des corps ». En effet, l'œil sent d'abord l'impact du rayon lumineux, comme la main le contact d'un bâton, sans rapporter l'impression à l'autre bout du rayon. Mais comme la main, en se mouvant, apprend la direction et la longueur du bâton et rapporte le contact aux objets que le bâton touche, elle apprend ensuite à l'œil à rapporter les rayons aux objets qui les émettent.

On y vient d'ailleurs par degrés : 1° Que la statue, à l'occasion, porte sa main sur ses yeux, les couleurs vont disparaître; qu'elle la retire, elles se reproduisent : elle croit alors que les couleurs sont à la distance de sa main, sur la surface de ses yeux, comme chez l'opéré de Cheselden. 2° Qu'elle éloigne ou approche sa main par curiosité ou inquiétude, et la surface colorée de sa main paraît changer. Dès lors, attribuant ce changement aux seuls mouvements de sa main, elle juge que les couleurs de sa main sont à quelque distance de ses yeux. 3° Que sa main recouvre un corps, et la couleur de la main se substitue à celle du corps, qui reparaît si elle se retire. Dès lors, les couleurs du corps semblent à même distance que la main, sur une surface éloignée de l'œil. 4° Que sa main se promène sur un corps, elle voit une couleur se mouvoir sur une autre couleur, dont les parties, tour à tour, apparaissent et disparaissent. Dès lors, elle juge que la couleur est immobile sur le corps et mobile sur la main, et dans les deux cas, loin des yeux. 5° Etonnée de cette découverte, elle se plaît à la renouveler en manipulant les corps, à démêler le chaos des couleurs sur leur surface, à fixer les yeux sur les choses, à percer « comme à travers un nuage, pour voir dans l'éloignement les objets que la main saisit, et sur lesquels elle semble répandre de la lumière et des couleurs ». 6° Déplaçant sa main entre les corps et ses yeux, elle mesure leur *distance* par le toucher; puis, approchant et éloignant alternativement les corps, elle voit leur couleur changer avec leur distance; enfin, elle lie directement la couleur à la distance, en se passant du toucher. 7° Cette éducation se poursuit par le discernement des *figures,* celle de la sphère, celle du cube, qu'elle touche et qu'elle regarde et qui acquièrent sous ses yeux le relief qu'elles ont sous ses mains; par celui des *situations,* rapports du haut et du bas, de la droite et de la gauche; par celui des *grandeurs,* car si l'image de l'objet augmente lorsqu'il se rapproche, le toucher prouve cependant que sa grandeur ne change pas; par celui du *mouvement*, car la vue s'accoutume à suivre l'objet que la main déplace dans l'espace. 8° Cette éducation, enfin, déborde la portée de sa main, car « en continuant à s'exercer, elle se sent animée d'une force qui lui devient naturelle, elle s'élance d'un moment à l'autre à de plus grandes distances; elle manie, elle embrasse des objets auxquels le toucher ne peut atteindre, et elle parcourt tout l'espace avec une rapidité étonnante ». Cette *conquête de l'espace lointain* requiert de nouvelles expériences, qui lient de nouveaux jugements à de nouvelles visions. En se déplaçant, la statue approfondit le rapport de la distance à la grandeur; elle juge de ce qu'elle ne touche pas par ce qu'elle a pu toucher; sous ses pas l'espace se creuse, le monde prend sa profondeur, déploie sa magnificence et son enchantement sans fin (voir Choix de Textes 19).

Tout cela ne va pas sans méprises, les jugements et les sensations ne se convenant pas toujours. La statue se trompe en jugeant les corps lumineux trop proches, les corps obscurs trop éloignés; en voyant de la convexité sur une peinture où la main perçoit une surface plane; en croyant voir dans une glace des objets qui se reflètent; en jugeant ronde et petite une tour qui est grande et carrée : le tact qui instruit les yeux doit parfois les contrôler. N'empêche que la statue peut *juger de la distance par la grandeur,* car elle juge plus proche ce qu'elle voit plus grand et plus distinct, plus éloigné ce qu'elle voit plus petit et plus confus; ou *juger inversement de la grandeur par la distance,* car elle juge plus grand ce qu'elle voit plus éloigné et plus confus : « une mouche lui paraîtra un oiseau dans l'éloignement, si passant rapidement devant ses yeux, elle ne laisse apercevoir qu'une image confuse semblable à celle d'un oiseau éloigné »; elle peut juger à la fois *des distances et des grandeurs* par les objets intermédiaires, car elle voit plus loin et plus grand ce dont elle est séparée par des repères plus nombreux. Mais si ces secours lui manquent, incapable d'apprécier les grandeurs et les distances, elle voit toutes choses identiques comme les astres sur la voûte des cieux. Accoutumée cependant « à juger à la vue de l'espace, des distances, des situations, des figures, des grandeurs et du mouvement », elle lie ces jugements visuels aux données des autres sens, leur donne tant de préférence que les autres, plus paresseux, perdent même de leur finesse à proportion que la vue en gagne ! L'expérience de Cheselden (que Condillac voudrait reprendre avec plus de précision), confirme la théorie. L'opéré voyait d'abord les couleurs contre ses yeux dans la plus grande confusion, sans distinguer les grandeurs, les formes ni les distances; l'apprentissage du toucher lui donna seul ces idées, et lui fit voir les objets comme le sens commun les voit.

La vision spatiale à son tour renforce le sentiment de la durée. L'alternance des jours et des nuits, les révolutions du soleil, la suite des heures, des mois, des ans, scandent la succession des idées, et donnent la mesure du temps. La durée vécue se distingue, les événements se coordonnent, quoique notre appréciation change avec l'oisiveté ou le travail (voir Choix de Textes 16). Enfin, ce système de références mesure la durée du sommeil, sépare la veille et le songe, le réel et l'illusoire, car la convergence de la vue et du toucher révèle la contradiction entre le désordre du songe et la constance de la veille, que les autres sens ne décèlent pas.

Quant au *goût*, instruit « promptement », car dès la naissance, il importe à notre conservation, il n'en a pas moins sa genèse. La faim nous pousse à sortir d'un état désagréable, à saisir tout ce qui se présente, à prendre enfin dans la bouche, par un choix préférentiel, les nourritures les meilleures signalées par leurs couleurs, leurs parfums.

Au total, *la réunion de tous les sens au toucher intensifie leur pouvoir, les renforce mutuellement, leur donne « un discernement plus fin et plus étendu »*. Les jugements qui lient aux sensations visuelles de lumière et de couleur les idées tactiles d'espace, de grandeur et de figure, deviennent même si familiers qu'on les rapporte aux objets en se passant du toucher. Grâce à cette interaction, la chaîne des connaissances s'étend, leurs combinaisons se multiplient (par exemple, celles des songes), les idées générales s'accroissent (par exemple, l'idée générale de la vision, de la couleur, et des couleurs différentes); la vue se fait plus active, s'emploie à regarder les choses, devient même, au détriment de l'imagination et des autres sens, le siège principal du désir, de l'exercice des facultés excitées par l'inquiétude. Ainsi portés corps et âme « vers les objets propres à notre conservation », nous traitons objectivement nos impressions subjectives; le monde réel, unifié par la convergence des sens, se refuse à l'idéalisme et s'ouvre à l'action de l'homme.

2. Les sensations objectives.

Voici la statue devant le monde. Comment s'épanouira-t-elle ? Quelles seront ses premières pensées ? Comment l'homme, *animal sentant*, deviendra-t-il *animal réfléchissant* ? Il ne conquiert pas d'emblée la connaissance théorique, la science qui implique une langue, partant une vie sociale. Antérieure à tout langage et même à toute société, une connaissance pratique, confuse mais utilitaire, se développe dans l'expérience, et la science en sortira. Ainsi l'enfant peut juger avant de savoir parler, et le faire précède le dire. On ne le remarque pas, car ces jugements habituels prennent la forme d'un instinct; mais la fiction de la statue à l'état d'isolement prélinguistique permet de les dégager.

Supposons que la nature prévienne immédiatement et facilement ses besoins : elle n'éprouvera nul désir; elle ne remarquera rien; elle ne s'occupera de rien; elle restera ensevelie dans une profonde léthargie, et ses sensations passeront comme des reflets dans une glace. Par contre, plus ses besoins sont difficiles à satisfaire, plus elle rencontre d'obstacles, plus elle ressent du désir, de la douleur dans l'échec, du plaisir dans le succès. L'expérience des maux qu'elle souffre l'accoutume à les prévoir, le passé éclaire l'avenir, l'imagination oscille entre la crainte accablante et l'exaltante espérance. Sur ce terrain passionnel germent ses précautions, ses choix, son industrie, sa maîtrise, et l'ordre de ses études suit l'ordre de ses inquiétudes. Le ressort de ses connaissances, c'est le plaisir et la peine, le bonheur et le malheur, sans lesquels elle ne serait rien : *l'affectivité est le principe de l'activité, principe à son tour de la science.*

Si le besoin de nourriture, naturellement primordial, mobilise les autres sens pour distinguer ses objets, d'autres besoins s'y ajoutent : se préserver, se défendre, satisfaire sa curiosité. Aussi, tandis qu'elle se plaît, pour planifier sa conduite, à s'étudier elle-même et à étudier les choses, elle observe les animaux, leurs variétés, leurs combats; subit les coups et blessures de ceux qui lui font la guerre; apprend à fuir, attaquer; se flatte de ses victoires, s'enivre de son courage. Contre le froid, la famine, elle apprend à se vêtir, à s'abriter, à chasser, à dévorer ses victimes. « L'expérience lui donne des leçons » qu'elle paie souvent de son sang, et sa vie est une série de succès et de revers, dont la nature est le ressort, et la connaissance le fruit.

Elle peut cependant juger « de la bonté et de la beauté des choses » en fonction de ses plaisirs. Est *bon* tout ce qui plaît à l'odorat et au goût, et satisfait ses passions, est *beau* tout ce qui plaît à la vue, à l'ouïe et au toucher, et satisfait son esprit. Ainsi, le bon et le beau ne sont point absolus, mais relatifs. En outre, ils se combinent, « se prêtent des secours mutuels », se renforcent par l'utilité, la nouveauté, la rareté de leurs objets, les idées qu'on y démêle, les proportions qu'on y remarque ou les modèles qu'on choisit : toutes choses manifestement que l'exercice améliore, qui s'acquièrent et se transforment par l'usage des facultés : où l'on voit que le sensible est source de la valeur parce qu'il est valeur lui-même.

Aux sentiments esthétiques s'ajoute *la superstition.* Dépendant de ce qui l'environne, la statue voit un dessein dans tout ce qui agit sur elle : ce qui lui plaît ou l'offense veut lui plaire ou l'offenser. Elle s'adresse alors au soleil, aux arbres, à la douleur, emplissant son univers « d'êtres visibles et invisibles, qu'elle prie de travailler à son bonheur ». Ignorant la nature des corps, elle ne leur attribue les qualités éprouvées que par une habitude utile; l'étendue tactile elle-même ne l'introduit pas davantage dans l'essence de la matière dont elle lui prouve l'existence.

Distribuant les choses en classes, elle forme des idées générales par la simple comparaison de plusieurs objets semblables. Certes, faute de signes convenus, elles restent désordonnées, bornées. Il faut pourtant qu'elles préexistent au langage pour que le langage soit possible, car on ne peut parler une langue que si, avant de parler, on a quelque chose à dire! Ces idées sont des modèles, qui rassemblent les individus en *genres* d'une manière d'abord très vague, mais dont on descend ensuite, en remarquant les différences, aux idées subordonnées qui déterminent les *espèces.* Relative à nos besoins, cette distribution des choses n'exprime que « l'imperfection de notre manière de voir », nullement les choses en elles-mêmes : là-dessus, le philosophe, malgré son langage savant, est semblable à la statue. Elle n'a que des idées confuses, aussi bien des choses concrètes, dont elle ignore partiellement les qualités, que des conceptions abstraites qu'elle extrait des précédentes. Quant aux idées des grandeurs et figures géométriques, séparées de tout objet, elles sont distinctes, invariables (ainsi l'idée de triangle). Mais puisqu'elles viennent toutes des sens, c'est que les sens peuvent fournir « des connaissances de toute espèce », sans pénétrer pour autant, ni dans le monde ni dans l'âme, au royaume de l'Absolu : ce qui ruine radicalement l'ontologie rationnelle.

Mais par cette constatation d'une *pensée prélinguistique* capable de réfléchir, le *Traité des Sensations* ne contredit-il pas l'*Essai*, qui suspendait, on l'a vu, la réflexion au langage ? De fait, le *Traité* soutient que le sauvage de Lithuanie, auquel l'*Essai* avait refusé toute raison, en était quand même pourvu! C'est qu'il s'agit d'une raison exclusivement pratique liée à sa conversation, non d'une raison théorique détachée de ses besoins : « Il paraissait sans raison, non qu'absolument il n'en eût point, mais parce qu'il en avait moins que nous. » De même, avant le langage, la statue peut acquérir certaines connaissances pratiques à quelque degré générales, suffisantes pour sa conduite. Entre les deux œuvres, il y a donc moins contradiction que précision, reniement qu'approfondissement. L'*Essai*, d'une part, déclarait qu'entre la réflexion et l'expression, il devait y avoir un cycle, que le geste précédait le mot, que le signe conventionnel sortait du signe naturel; le *Traité* d'autre part, déclare que faute d'expression verbale, la réflexion reste confuse, presque « purement animale ». C'est le langage par conséquent qui lui permet de s'éveiller, de s'évader de l'urgence, de lier des idées abstraites d'une manière indéfinie : c'est le langage qui fait l'homme. *Ainsi, par l'enracinement de la connaissance théorique dans une connaissance pratique, le problème est résolu.* Le principe de la pensée est le même que celui de la vie; c'est toujours la sensation avec sa nuance affective : « vivre, c'est proprement jouir, et la vie est plus longue pour qui sait davantage multiplier les objets de sa jouissance. » L'analyse qui a permis de démêler le rôle des sens dans la formation de l'esprit, de déceler le rôle du toucher dans la perception du monde, s'achève triomphalement sur la joie de vivre, de connaître, de développer sa liberté. L'empirisme répond à tout.

III. L'ESPRIT DE LA PHILOSOPHIE

Maître d'une méthode, d'une critique, d'une théorie de la connaissance, d'une explication de l'homme, Condillac, à quarante ans, est au faîte de sa pensée. Il est le chef de la nouvelle métaphysique. Il est célèbre, il est lu, il est apprécié, il existe : en 1749, l'Académie royale de Berlin, grâce sans doute au savant français Maupertuis qui la préside, s'honore de se l'associer, et c'est de Grenoble qu'il remercie.

Ce n'est pourtant pas fini. Il vient d'écrire trois volumes; il en écrira encore vingt. C'est que ses principes se prolongent en des domaines fort divers, zoologie, pédagogie, histoire, économie politique, logique, mathématique, et ces œuvres complémentaires, que provoquent les circonstances, ne manifestent pas seulement l'envergure de la doctrine; elles en illuminent l'esprit. Elles découvrent *les rapports de l'homme avec la bête, avec l'homme, avec la vérité.*

1. L'HOMME ET LA BETE

I. *LA VIE ANIMALE*

En 1755, le *Traité des Animaux* résout l'irritant problème de l'âme des bêtes, qui enflamme depuis deux siècles libertins et apologistes· Soulevé dans l'Antiquité sur le plan de l'histoire naturelle (chez Pline le Jeune par exemple), il a pris dans le christianisme une ampleur philosophique, une acuité religieuse périodiquement ravivée. Car si les bêtes ont une âme analogue à celle de l'homme, ou selon certains meilleure, un instinct plus infaillible; si elles sentent, aiment, pensent comme nous, l'homme perd dans l'échelle des êtres son privilège admirable; il est plongé dans la nature comme tous les autres vivants, et l'on tombe sur ce dilemme : accorder l'immortalité à tous, même aux mouches et aux fourmis, aux huîtres et aux éponges, ou ne l'accorder à personne. « Quand je me joue avec ma chatte, avait observé Montaigne, qui sait si elle passe son temps de moi plus que je fais d'elle ? Nous nous entretenons de singeries réciproques. » Et Gassendi s'ingéniait à prouver que la différence entre l'homme et l'animal n'est point de nature, mais de degré; que l'âme est peut-être une matière répandue dans l'organisme pour le mouvoir et pour penser. Aux libertins de son temps, qui soulevaient sa colère, Descartes avait riposté par ses animaux-machines. Pour lui l'âme est immortelle, et c'est une substance pensante; mais elle n'appartient qu'à l'homme. L'animal n'est que matière, et vit automatiquement, tel un mouvement d'horlogerie, sans dépasser le premier degré du sens, celui qui consiste en mouvement. Thèse qui accorde, selon lui, les données de l'expérience et les dogmes de l'Ecriture, car l'Ecriture a réduit l'âme de l'animal au sang, et l'expérience établit que l'animal est privé des deux gestes intelligents expressifs de la pensée, la parole et l'industrie.

Or cette thèse paradoxale, dont Bossuet se réjouissait, Buffon vient de la reprendre en 1749 dans son *Histoire Naturelle*. Affirmant la spiritualité de l'âme humaine et de ses fonctions supérieures, Buffon réduit l'âme animale et ses fonctions inférieures à une propriété de la matière : la vie instinctive s'explique par un jeu de molécules organiques. Thèse si grave que la Sorbonne, le 15 janvier 1751, préférait la condamner! C'est précisément cette thèse que Condillac veut combattre, en prouvant contre Buffon et Descartes réunis, qu'au regard de l'expérience, l'automatisme animal est insoutenable, et qu'on peut le rejeter sans contrevenir à la foi. C'est qu'il comprend le danger qui menace toute sa doctrine. S'il n'y a pas de hiatus entre les fonctions de l'âme inférieures et supérieures; si la sensibilité, qui est la fonction première, se ramène à la matière, une doctrine qui a fondé la vie de l'âme sur le sensible est fatalement condamnée au matérialisme absolu, frère jumeaux de l'athéisme. En dépit de ses convictions, et même de ses précautions, Condillac risque de s'engager dans la même voie que Diderot, où Helvétius en 1758, d'Holbach en 1771, allaient trouver leur confort. N'avait-il donc évité l'idéalisme de Berkeley que pour basculer enfin au matérialisme de La Metterie ? Si telle est la conséquence de l'automatisme animal, c'est sur son propre terrain qu'il faut terrasser Buffon, *en montrant que la sensation, ni chez la bête ni chez l'homme, ne se résorbe dans la matière, et que si l'esprit en sort, c'est parce qu'il y est déjà.*

L'automatisme animal est un système arbitraire que l'observation dément. Les corps inertes sont soumis aux règles du mécanisme; les plantes immobiles végètent. « Mais les bêtes veillent elles-mêmes à leur conservation; elles se meuvent à leur gré; elles saisissent ce qui leur est propre, rejettent, évitent ce qui leur est contraire; les mêmes sens, qui règlent nos actions, paraissent régler les leurs. » Bref, si elles sentent, « elles sentent comme nous », c'est-à-dire avec conscience, car qui croira que la matière brute soit sensible, que le sentiment soit un mouvement ? De plus, les bêtes sont capables, non seulement de sentir, mais de connaître pour éclairer leurs actions. Un ébranlement matériel peut produire une « convulsion »; il ne peut rendre raison des mouvements déterminés de fuite ou de recherche adaptés aux circonstances. Les mots *instinct, appétit,* dont on se contente trop vite, masquent en réalité l'acquisition de l'expérience. Les bêtes comparent, jugent, pensent, ont des idées, de la mémoire, du plaisir, de la douleur, apprennent à percevoir, à se conduire, à se servir des objets. Leur pensée, utilitaire, n'est pas pour cela matérielle : ce qu'aurait compris Buffon, s'il avait préféré l'observation au système, et cherché le Créateur dans les petites choses comme dans les grandes. Mais les philosophes « aiment mieux une absurdité qu'ils imaginent qu'une vérité que tout le monde adopte ».

Par là se justifie la ressemblance, affirmée par le sens commun, entre l'animal et l'homme. S'agit-il d'*action* ? L'animal doit ses premiers mouvements aux impressions agréables ou désagréables provoquées par les objets. Il découvre son corps propre, ses affections, ses besoins, et ces besoins répétés entraînent corrélativement des mouvements moins tâtonnants, des jugements moins incertains. Ces opérations vitales — nutrition, protection, défense — où l'âme et le corps se lient par « le commerce le plus intime », se transforment en habitudes, à mesure que la réflexion, qui préside à leur naissance, « les abandonne à elles-mêmes » pour se concentrer sur d'autres. Ainsi, l'animal ne doit qu'à l'apprentissage ce qu'il semble tenir de la nature. S'agit-il de *pensée* ? Ses besoins l'habituent à observer et distribuer les objets, multiplier ses idées en un système extensible, dont les suites forment une chaîne mille fois recommencée. Les idées renaissent par l'action des besoins qui les produisent, forment, au gré de leurs variations, une variété de « tourbillons » qui se pressent et se détruisent : c'est ainsi que les bêtes inventent, qu'elles découvrent, qu'elles construisent, quoique leur invention soit plus bornée que celle de l'homme, car leurs besoins moins nombreux sont plus promptement satisfaits. Par suite, tous les animaux d'une même espèce se ressemblent, non parce qu'ils se copient, mais parce que les mêmes besoins, dans les mêmes individus, engendrent les mêmes habitudes à chaque génération.

II. *LA CULTURE HUMAINE*

Du même coup, la distance éclate entre l'homme et l'animal. Car la société humaine est un commerce d'idées, un accroissement de connaissances au cours des générations. Elle se distribue en classes, qui offrent aux citoyens une pluralité de « modèles » sur lesquels ils se façonnent : paradoxalement, ils diffèrent parce qu'ils peuvent se copier! Le ressort de leur progrès et de leur diversité, c'est la parole, « principe admirable » de la communication et de la culture. Elle suppose que tous les hommes, avec les mêmes organes, ont aussi les mêmes idées qui se développent plus ou moins en fonction des circonstances. Si les bêtes ont un langage, un commerce réciproque par lequel elles se secourent, ce n'est qu'un langage d'action, variable avec l'organisation et les besoins des espèces, et limité à chacune. Si l'animal domestique acquiert quelque intelligence du langage articulé, reste entre l'homme et la bête une différence de degré, qui autorise à conclure que « celui qui a le moins n'a pas sans doute dans sa nature de quoi avoir le plus, la bête n'a pas dans sa nature de quoi devenir homme, comme l'homme n'a pas dans sa nature de quoi devenir Dieu ».

Entre l'homme et l'animal, il n'y a donc ni hétérogénéité ni identité, mais différence de développement. D'une part, l'instinct de l'animal suppose « un commencement de connaissances » qui permet de l'acquérir (ce que Rousseau contestera). Variable avec les espèces, et même les individus, ce n'est ni un mécanisme ni un sentiment aveugle; c'est un acte réfléchi transformé en habitude utile à la subsistance : on pourrait dire que l'instinct est de l'intelligence qui retombe· D'autre part, la raison de l'homme est la marge de réflexion qui déborde l'habitude après l'avoir instituée, et permet de l'adapter à des circonstances nouvelles. Elle est d'autant plus excitée que les besoins sont plus nombreux, les circonstances plus diverses. Par suite, *l'instinct des bêtes est plus sûr que notre raison*, car ayant peu de besoins, elles contractent peu d'habitudes, et faisant toujours les mêmes choses, elles les font mieux. Mais *la raison de l'homme est plus vaste que leur instinct*, car elle s'occupe constamment d'intérêts diversifiés et d'habitudes modifiables. Au total, jamais l'instinct n'est inné ni infaillible; il trompe les bêtes comme les hommes; il reste « infiniment inférieur à notre raison ». En outre, l'instinct de l'homme est « plus étendu » que celui de la bête, car le second est borné à la pratique, le premier embrasse à la fois la pratique et la théorie. Il nous entraîne à juger non seulement de ce qui est bon, mais de ce qui est vrai et beau par des habitudes mentales, souvent erronées d'ailleurs comme le prouvent les préjugés de la pensée et du goût. *Finalement, la barrière tombe entre la raison et l'instinct, sans que l'homme cesse, à tous égards, d'être supérieur aux bêtes* (voir Choix de Textes 20).

Cette supériorité se manifeste surtout par les idées générales, source de civilisation. L'animal ne s'intéresse qu'aux objets extérieurs concrets relatifs à ses besoins. « L'homme, au contraire, capable d'abstractions de toute espèce, peut se comparer avec tout ce qui l'environne. Il rentre en lui-même, il en sort; son être et la nature entière deviennent les objets de ses observations; ses connaissances se multiplient; les arts et les sciences naissent, et ne naissent que pour lui. » Dans ce vaste champ émergent deux connaissances capitales : *celle de Dieu, celle de la morale*.

L'idée de Dieu n'est pas innée, n'en déplaise aux cartésiens, et nous ne connaissons pas son essence, mais seulement son rapport à nous. Elle n'est pas non plus infinie, car elle ne renferme « qu'un certain nombre d'idées partielles ». Cela suffit cependant à prouver son existence. Mais comment la formons-nous ? Par une suite de réflexions sur les causes. D'abord les causes qui agissent immédiatement sur l'homme pour son bonheur ou son malheur, lui montrent sa dépendance, font des objets sensibles ses premières divinités. Notion grossière de l'idolâtrie, du polythéisme, que la réflexion dépasse en s'interrogeant ensuite sur les causes de ces objets. D'où l'idée d'une « première cause », qui doit nécessairement, pour répondre à la question, se concevoir comme cause totale créatrice des existences aussi bien que de leurs modes, puisque « modifier un être, c'est changer sa manière d'exister ». Cette création, sans doute, nous ne la concevons pas, « puisque nous n'apercevons rien en nous qui puisse nous servir de modèle pour nous en faire une idée ». Est-ce à dire comme les athées que c'est « une cause aveugle et sans dessein » ? Elle suppose l'*intelligence*, puisqu'on voit de l'ordre dans l'univers, comme dans le plus vil insecte, comme dans nos sens, nos organes, notre intelligence elle-même. Elle suppose la *liberté*, puisqu'avec l'intelligence, cette cause doit être dotée de puissance et d'indépendance. Enfin, de l'intelligence qui connaît et de la liberté qui agit « naissent sa bonté, sa justice, et sa miséricorde, sa providence, en un seul mot ». Toutefois, Dieu ne connaît pas et n'agit pas comme nous, car il est éternellement omniscient, omniprésent, tandis que les créatures sont limitées et changeantes, ont un commencement, une fin, une durée propre à chacune, et qui dépend de son pouvoir. Bref, ce principe exclusif (car un seul monde ne peut en avoir plusieurs) est « une cause première, indépendante, unique, immense, éternelle, toute-puissante, immuable, intelligente, libre, et dont la providence s'étend à tout : voilà la notion la plus parfaite que nous puissions, dans cette vie, nous former de Dieu. » Elle se forme dès que l'homme, remarquant sa dépendance, se sent naturellement porté à respecter les êtres dont il croit dépendre. » Ainsi « la connaissance de Dieu est à la portée de tous les hommes », exprimant simultanément l'intérêt de la société et le sommet de l'intelligence [1] (voir Choix de Textes 21).

---

1. Ce chapitre est tiré d'une *Dissertation* publiée sans nom d'auteur, quelques années plus tôt, dans un recueil de l'académie de Berlin. L'opposition à

La morale suppose des principes qui s'acquièrent par l'expérience. Les hommes sentent la nécessité, contre l'égoïsme nuisible, de se secourir mutuellement, de s'engager réciproquement, de convenir de lois auxquelles leurs actions se subordonnent : c'est là que la moralité commence. Mais ces conventions bientôt se lient à la divinité, au législateur suprême qui dispense les biens et les maux, car c'est lui qui cause la nature, d'où sortent la société et « les devoirs du citoyen ». Les lois que la raison prescrit sont les lois que Dieu impose : c'est ici que la moralité s'achève. *La morale est donc divine et naturelle à la fois : elle est découverte par l'homme, et elle émane de Dieu.* Toute société, même imparfaite, ne saurait la méconnaître, sans s'effondrer dans la guerre, le malaise et la violence.

De là d'extrêmes conséquences. D'abord, puisque la loi vient de Dieu, nous sommes capables envers Dieu de mérite ou de démérite : « il est de sa justice de nous punir ou de nous récompenser ». Ensuite, puisque ce n'est pas dans ce monde que les biens et les maux sont proportionnés au mérite et au démérite, « il y a donc une autre vie où le juste sera récompensé, où le méchant sera puni; et notre âme est immortelle » parce que Dieu la conserve. Enfin, puisque les bêtes n'ont pas de lois, « incapables de mérite ou de démérite, elles n'ont aucun droit sur la justice divine. Leur âme est donc mortelle », non parce qu'elle est matérielle, mais parce que Dieu ne veut pas la conserver. D'où l'originalité de la thèse de Condillac. *D'une part, les bêtes ne sont pas des automates, car elles ont une âme mortelle; d'autre part, les hommes ne sont pas des bêtes, car ils ont une âme immortelle :* « Notre âme n'est donc pas de la même nature que celle des bêtes. » Ces « fondements de la morale et de la religion naturelle nous préparent par la raison aux vérités de la révélation, et « la vraie philosophie ne saurait être contraire à

Descartes est nette : Descartes part *de l'idée de Dieu,* innée dans l'esprit comme un effet dont l'esprit ne peut être cause, et démontre que Dieu est sa cause (1re preuve); ensuite qu'il est cause de l'esprit qui a cette idée (2e preuve); enfin qu'il est cause de soi (3e preuve). Condillac part de *l'expérience du monde et de l'esprit,* comme effets qui réclament une cause, exprimée par l'idée de Dieu, laquelle est formée par l'esprit. Kant critiquera ces deux catégories de preuves, rationnelle et empirique.

la foi ». Ce qui rappelle curieusement dans l'anticartésianisme les prétentions cartésiennes. (Voir Choix de Textes 22.)

Supérieur par l'intelligence, l'homme l'est aussi par la passion et l'action. Son amour-propre ne se borne pas à écarter la douleur momentanée; il acquiert l'idée de la mort par la perte de ses semblables; il désire se conserver, et ce désir se développe en passions diversifiées dont les bêtes sont dépourvues. En outre cet amour-propre est vertueux et vicieux en fonction de nos « devoirs » moraux. D'où naissent pour nous des plaisirs et des peines originaux, qui se fondent dans la connaissance et stimulent l'activité. Dès lors, désirer devient « le plus pressant de tous nos besoins »; à peine un désir est-il satisfait que nous en formons un autre; sans quoi nous sentirions « un vide accablant, un ennui de tout et de nous-mêmes ». « Ainsi nos passions se renouvellent, se succèdent, se multiplient, et nous ne vivons plus que pour désirer, et pour autant que nous désirons. »

Tandis que l'instinct des bêtes, borné aux objets physiques, limite d'emblée leurs désirs, et que leurs sentiments brutaux s'éteignent dès que les biens et les maux physiques disparaissent, l'homme éprouve des sentiments délicats, nés « des qualités morales des objets ». Espérance, crainte, amour, haine, colère, chagrin ou tristesse, incessamment renaissants, « entretiennent l'activité de son âme », se nourrissent des circonstances, élargissent à l'infini son bonheur et son malheur. *En un mot, le moral, chez l'homme, devient le principal des passions; le malheur tend à se fondre dans le vice et le bonheur dans la vertu.*

La supériorité intellectuelle retentit dans l'habitude et dans la volonté. Les passions, au lieu de servir à notre conservation par un concours harmonieux, peuvent, en se multipliant, désordonner nos actions, dérégler nos habitudes, provoquer nos égarements, nous opposer à nos concitoyens, contrarier notre bonheur. Il faut alors « que la raison exerce son empire » pour corriger les mauvaises habitudes et en acquérir de bonnes. Le jugement vrai, comme chez Descartes, rectifie les jugements faux qu'impliquent les passions vicieuses : « Lorsque nous sommes méchants, nous avons de quoi devenir meilleurs »; au fond de notre désordre, il y a de quoi rétablir l'ordre. Bref, *le privilège de l'homme, dans la vie comme dans la science, c'est ce pouvoir sur soi-même qui s'appelle « éducation ».*

Finalement, puisque la pensée englobe « toutes les opérations de l'esprit », elle englobe l'*entendement* et la *volonté*, qui ne sont point des facultés séparées, mais des produits de la sensation. La différence capitale, « c'est que dans les bêtes, l'entendement et la volonté ne comprennent que les opérations dont leur âme se fait une habitude, et que dans l'homme ces facultés s'étendent à toutes les opérations auxquelles la réflexion préside ». Or c'est de cette réflexion que « naissent les actions volontaires » animées par « le droit de choisir ». Si bien que, tandis que « les circonstances commandent les bêtes, l'homme au contraire les juge, il s'y prête, il s'y refuse, il se conduit lui-même, il est libre [1] ».

Le *Traité des Animaux* a donc des richesses multiples. Il ne se borne pas à fonder — du moins en intention — une psychologie animale concrète et compréhensible, à montrer le lien de l'instinct avec l'habitude et l'intelligence. Il comporte une leçon philosophique, car c'est pour connaître l'homme qu'on le compare à la bête. 1) D'abord, loin d'être séparé, l'homme fait partie « de ce système général

1. Dans sa *Dissertation sur la liberté,* Condillac applique sa méthode à cette question débattue. Comme toute la pensée, la liberté a sa genèse, car elle est l'épanouissement de l'activité mentale. Tant qu'elle subit l'esclavage de ses impressions ou impulsions (qui se satisfont, se neutralisent, se succèdent), la statue n'est nullement libre. Mais qu'un désir lui semble supérieur aux autres, qu'elle rencontre des obstacles, des déceptions, des malheurs, elle se repent amèrement d'avoir fait un choix néfaste. De son affectivité naît alors sa réflexion : en comparant ses désirs, elle délibère afin de choisir le meilleur, « celui où il y a le plus de plaisir avec le moins de peine ». Elle résiste à l'entraînement de ses désirs et de ses passions; elle accorde sa préférence aux objets les plus valables, qu'elle connaît par expérience. La liberté, c'est « le pouvoir d'agir et de ne pas agir », « de faire ce qu'on ne fait pas, de ne pas faire ce qu'on fait »; pouvoir de choix volontaire qui n'est indépendant ni de l'action des objets, ni des connaissances acquises en fonction de nos besoins.

« Confiez la conduite d'un vaisseau à un homme qui n'a aucune connaissance de la navigation, le vaisseau sera le jouet des vagues. Mais un pilote habile en saura suspendre, arrêter la course; avec un même vent il en saura varier la direction; et ce n'est que dans la tempête que le gouvernail cessera d'obéir à sa main. Voilà l'image de l'homme.

« Le malaise, dans son origine, est un souffle léger qui peut devenir un aquilon furieux. Tant qu'on ne connaît pas ce qu'on a à craindre, on en suit toute l'impression, on lui obéit : instruit au contraire par l'expérience, on dirige ses mouvements, on les suspend, on jette l'ancre. Il n'y a plus que des passions violentes qui puissent enlever cet empire. »

qui enveloppe tous les êtres animés », dont les facultés s'expliquent par la sensation, le besoin et la liaison des idées : voilà du *naturalisme*. 2) Ensuite, l'homme se distingue par le progrès prodigieux des facultés réflexives éveillées par le langage. Accédant au vrai, au beau, « il crée les arts et les sciences, et s'élève jusqu'à la divinité, pour l'adorer et lui rendre grâces des biens qu'il en a reçus » : voilà du *culturalisme*. 3) Enfin, l'homme et l'animal sont capables de sentir, parce qu'ils ont tous deux une âme, qui, pour être différente avec des corps différents, ne s'explique pas par la matière : voilà du *spiritualisme*. Mieux que les œuvres précédentes, le *Traité* insiste là-dessus, contre le matérialisme ambiant. Renversement remarquable. *Pour sauver le spiritualisme, Descartes séparait l'animal de l'homme en le ramenant au mécanisme; Condillac soustrait par contre, l'animal au mécanisme, en le rapprochant de l'homme.* Le sensualisme rénové refuse ainsi la rupture de la pensée et de la vie, sans pour cela la rabaisser. Il ne fonde pas seulement le spiritualisme sur les faits; il appelle les hommes à vivre d'une spiritualité plus haute.

2. L'HOMME ET L'HOMME

Jusqu'ici, Condillac s'est tenu sur le plan de l'individu, considéré en général. Les circonstances vont l'amener à traiter plus concrètement des rapports des hommes entre eux, impliqués déjà dans le langage, sur le plan de l'essor culturel et de l'essor économique.

I. *L'ESSOR CULTUREL*

Le succès de la doctrine transforme la vie de l'auteur : l'attention de la famille royale lui fait quitter la France pour neuf ans. De 1758 à 1767, il va résider à Parme, à la demande de la princesse Louise-Elisabeth, fille aînée de Louis XV et de Marie Leczinska, mariée à Don Philippe, fils de Philippe V d'Espagne et d'Elisabeth Farnèse, et duc de Parme et de Plaisance. La princesse, intelligente, soucieuse de l'éducation de son fils, l'infant Don Ferdinand, choi-

sit Condillac comme précepteur, sur la recommandation du duc de
Nivernais, protecteur des philosophes, ancien ambassadeur à Rome,
ainsi que de Duclos, historiographe de France. Elle meurt de la
petite vérole l'année suivante, en 1759, à Paris, et Condillac poursuit
sa tâche avec ferveur et affection [1]. L'infant Don Ferdinand, versatile
et paresseux, n'est malheureusement guère doué, et l'on assiste au
spectacle affligeant de la médiocrité instruite par le génie. Pourtant, tout n'est pas perdu. Le contempteur des écoles a l'occasion
d'exercer ses talents pédagogiques, et d'en tirer la leçon. Il applique ses théories sur la formation de l'esprit. Il rédige un *Cours
d'Etudes,* son plus vaste monument, qui remplira seize volumes.
Il revient enfin nanti d'une pension de 8 000 livres, de vaisselle
d'argent, d'un service de porcelaine de Vienne, cadeau de l'infant,
et surtout de l'abbaye de Mureau, de l'ordre des Prémontrés, au
diocèse de Toul, accordée par le roi Louis XV, dont il touchera les
bénéfices, mais où il n'ira jamais.

Bornons-nous, pour faire vite, à noter que l'imposant *Cours d'Etudes*, retardé par opposition de l'évêque de Parme (en raison sans
doute, dit Georges Le Roy, de ses appréciations sur la politique de
l'Eglise et sur l'Espagne [2]), ne paraîtra qu'en 1775, à Paris, pendant

1. L'Infant ayant été, à son tour en 1764, atteint de la petite vérole (dont
allaient mourir en 1765 son père, et en 1774 son grand-père Louis XV), Condillac, en le soignant, contracta sa maladie, tellement qu'il tomba en agonie, et
qu'on prépara même l'église pour l'enterrer. Voltaire annonça sa mort au
comte d'Argental et à Damilaville, les 10 et 11 décembre 1764 et conclut :
« Nous perdons là un bon philosophe. » Mais Condillac survécut, et Voltaire,
détrompé par d'Alembert, démentit spirituellement : « Vous savez à présent,
écrit-il à Bordes le 4 janvier 1765, que l'abbé Condillac est ressuscité; et ce
qui fait qu'il est ressuscité, c'est qu'il n'était pas mort. Dieu merci, voilà un
philosophe que la nature nous a conservé. Il est bon d'avoir un lockiste de
plus dans le monde, lorsqu'il y a tant d'asinistes, de jansénistes... »
2. Condillac condamne les Croisades : « Ces hommes, qui avaient si peu de
religion dans le cœur, en avaient toujours le nom dans la bouche... C'était pour
la religion qu'on violait toutes les lois, qu'on méprisait la foi des traités, et
qu'on exerçait sur les musulmans les cruautés les plus contraires à l'esprit de
l'Evangile » (*Histoire moderne,* t. XV, p. 564). Il condamne le pape Inno-
cent III, qui « paraissait vouloir exterminer tous les chrétiens » au nom de
la foi (*ibid.,* t. XVI, p. 43). Il condamne l'Inquisition et les guerres de religion :
« Vous verrez l'Europe souillée de tous les crimes de la superstition armée. »
« La dissimulation et la fausseté étaient le sublime de la politique, au point

la retraite du penseur. Il développe toute la substance des leçons faites à l'infant dans l'ordre didactique et historique (à l'exception des études purement littéraires et scientifiques, qu'il se contente de résumer), et dans ce double domaine, Condillac fait figure de novateur.

1. *La pédagogie active.*

La partie didactique comporte quatre volumes : 1) La *Grammaire,* étude du *discours* comme moyen d'analyse de la pensée; des *éléments* de ce discours, substantifs, adjectifs, nombres, genres, verbes, prépositions, articles, pronoms, conjonctions, adverbes, interjections, syntaxe, constructions diverses. 2) *L'Art d'écrire,* étude des propositions et de leur ordre; des diverses espèces de tours, périphrases, comparaisons, antithèses, tropes, figures, inversions; du tissu et de la coupe du discours; des différents genres de style, didactique, oratoire, narratif, poétique, et de l'harmonie des phrases. 3) *L'Art de raisonner,* étude des moyens de découvrir la vérité; de l'évidence de raison, de sentiment et de fait; de leur concours dans la recherche, notamment la mécanique et la physique de Newton; de l'usage des conjectures et de l'analogie en cosmologie, notamment pour le mouvement de la terre. 4) *L'Art de penser*, étude de la genèse de l'entendement; des sensations, perceptions et associations d'idées; de l'imagination, de la folie; de la nécessité des signes; du rôle et des abus de l'abstraction, de la synthèse, de la définition; des limites de la connaissance, des moyens de la corriger, de l'étendre, de l'exposer, autrement dit de l'analyse : ce qui répète fidèlement la philosophie de l'*Essai.*

Condillac ajoute toutefois que « tous ces arts se réduisent à un seul », puisque la même analyse commande la justesse de l'idée et l'exactitude de l'expression. En outre, il ne faut les apprendre qu'après les avoir d'abord spontanément exercés, parce qu'on parle et on pense avant de savoir comment on doit parler et penser. C'est

---

qu'on tirait vanité d'être dissimulé et faux. Tels étaient surtout Ferdinand le Catholique, Charles Quint et Philippe II, et il y a bien des historiens qui les en louent » (*ibid.*, t. XVIII, p. 73, 117).

Portrait de Condillac

Vue générale de Parme :

estampe du XVIIᵉ siècle

FERDINANDO
Infante di Spagna Duca di Parma
Piacenza Guastalla ec. d'anni X

Ferdinand, infant de Parme,
élève de Condillac.

que l'affectivité, la plasticité, la progressivité de l'esprit gouvernent cette pédagogie. Elles la situent à la source des méthodes actuelles, dites « actives », dont l'action, confessons-le, reste encore assez flottante. Loin d'enseigner un système de connaissances générales définitivement acquises, il faut donner à l'élève « les moyens de les acquérir », l'instruire par la méthode même dont les peuples se sont servis. Faire agir pour faire penser, faire sentir pour faire comprendre; aller du concret à l'abstrait, du connu à l'inconnu, de l'observation à la loi, de la pratique à la théorie; se conformer aux besoins et aux moyens de l'enfant; cultiver le jugement au lieu d'emplir la mémoire; employer le jeu éducatif, le jardinage, l'agriculture; faire inventer l'apprenti, « car la meilleure éducation n'est pas celle que nous devons à nos précepteurs, c'est celle que nous nous donnons nous-mêmes ». Bref, suivre la nature en sa spontanéité, voilà ce qu'elle préconise. « L'usage où l'on est, disait l'*Essai*, de n'appliquer les enfants, pendant les premières années de leur vie, qu'à des choses auxquelles ils ne peuvent rien comprendre, ni prendre aucun intérêt, est peu propre à développer leur talent. » Il allait même à l'extrême, condamnant l'étude précoce du latin, de l'histoire et de la géographie : « De quelle utilité peuvent être ces sciences dans un âge où l'on ne sait pas encore penser ? Pour moi, je plains les enfants dont on admire le savoir; et je prévois le moment où l'on sera surpris de leur médiocrité; ou peut-être de leur bêtise. » (Voir Choix de Textes 23.)

2. *L'histoire universelle.*

La partie historique (6 volumes d'*Histoire Ancienne*, 6 volumes d'*Histoire Moderne*, complétés par un traité anonyme de l'abbé de Mably, *De l'étude de l'histoire*) est doublement attirante. D'une part, il faut éduquer le prince en vue du gouvernement (M. de Keralio, officier français, dirigeant son instruction militaire); et tout au long des récits, de l'antiquité au XVIII° siècle, la vie politique s'étale et distribue ses exemples : « Un prince doit apprendre à gouverner son peuple; il faut donc qu'il s'instruise, en observant ce que ceux qui ont gouverné ont fait de bien, et ce qu'ils ont fait de mal. Il faut qu'il respecte leurs vérités, qu'il chérisse leurs talents, qu'il plaigne leurs fautes et qu'il haïsse leurs vices; en un mot, il faut que l'histoire soit pour lui un cours de morale et de législation. » D'autre part, plus largement, il faut suivre depuis l'aurore l'éveil de l'humanité : « Cette étude embrasse, par conséquent, tout ce qui peut contribuer au bonheur ou au malheur des peuples; c'est-à-dire les gouvernements, les mœurs, les opinions, les abus, les arts, les sciences, les révolutions, leurs causes, les progrès de grandeurs, et la décadence des empires, considérée dans son principe, dans son accélération et dans son dernier terme. Elle embrasse, en un mot, toutes les choses qui ont concouru à former les sociétés civiles, à les perfectionner, à les défendre, à les corrompre, à les détruire. »

Cette histoire totale relève d'un principe constant : *c'est que la culture est la nature transformée.* Ainsi, dans une fresque immense, elle montre l'évolution de la civilisation, par une sorte de passage de l'homogène à l'hétérogène, une lente différenciation des groupes sortis de la nature, selon le milieu, le travail, les circonstances, le hasard. A partir des sociétés primitives, conjecturalement décrites, Condillac trace la genèse des familles, des nations, du pouvoir, des constitutions, de la police, de la monarchie qui dégénère en despotisme, et de la république qui dégénère en anarchie. Après Locke, après Rousseau, il formule le *contrat social* implicite qui fonde toute communauté[1]. Il analyse le passage des lois naturelles aux lois civiles, de la coutume à la règle. Il dénonce les méfaits du brigandage, des conquêtes, des guerres, de l'esclavage. Il montre que l'ordre sort du besoin, que la force ne fait pas le droit, et contre « la servi-

---

1. « C'est un acte par lequel chacun s'engage tacitement envers tous, et tous envers chacun. Aussitôt qu'il est passé, chaque membre est protégé par le corps entier de la société, et la société elle-même est défendue par les forces réunies de tous les membres » (*Histoire ancienne*, t. X, p. 507). « Lorsque nous considérons que les hommes sont nés pour la société, nous découvrons bientôt ce qu'ils se doivent les uns aux autres, parce que chacun voit dans ses besoins ce qu'il est en droit d'exiger de ceux avec qui il s'associe, comme il voit dans leurs besoins ce qu'il est dans l'obligation de faire pour eux. Par là, comme notre constitution physique est le principe de nos besoins, elle est aussi le fondement du contrat social, par lequel nous nous promettons naturellement des secours, pour nous procurer des avantages réciproques, et, renonçant à une liberté sans bornes, nous cédons chacun quelque chose afin qu'on nous cède » (*Histoire moderne*, t. XVII, p. 94).

tude, tombeau des nations », célèbre la liberté qui « exclut l'arbitraire et la violence », car « pour être véritablement libre, il faut
avoir des lois ». Là-dessus s'inscrit le progrès matériel et spirituel.
Après la vie sauvage et errante, l'agriculture, premier art, et source
de tous les autres, manifeste la liaison de la nature et du besoin. Par
elle, la barbarie devient civilisation, la horde devient cité. Elle fleurit
dans la vie simple, et se dégrade par le luxe. Elle engendre les techniques, outillage, construction, commerce, d'où résulte la communication des idées. Elle engendre l'astronomie, la géométrie, les arts
qui, du reste, se modifient selon le lieu, le climat, le langage, le génie
des peuples, l'imitation, l'émulation, et progressent dans la liberté,
car « ce n'est qu'aux âmes qui se croient libres qu'il appartient de
créer ». Ainsi, la démocratie grecque a créé, malgré ses vices,
les sciences, la philosophie, les beaux-arts, qui ont rayonné en
Italie, en Gaule, en Espagne. Quant à la religion, elle sort de la divinisation de la nature, du soleil, des astres, des animaux, objets de
crainte ou d'amour. Avec le polythéisme, elle adore les dieux à forme
humaine, les ancêtres, les chefs, les héros, pour se concentrer enfin
sur un Dieu premier moteur et principe universel. En passant, Condillac dénonce l'ignorance, la crédulité, source des superstitions, pré-
sages, aruspices, oracles, sacrifices, astrologie, magie, tant que
l'imagination l'emporte sur l'intelligence. Par cette esquisse de sociologie culturaliste avant la lettre, il retrouve les lois du développement de la personne dans le développement des peuples, qui contribue à son tour à développer la personne; il intègre l'enfance de
l'homme dans le devenir de l'humanité; il enseigne à son élève le
libéralisme politique, la science expérimentale, la philosophie des
lumières dont un prince doit s'inspirer. Et comme ses contemporains, Montesquieu, Rollin, Voltaire, Hume, il engage enfin l'histoire dans l'avenue des sciences sérieuses. Ce n'était pas superflu.

II. *L'ESSOR MATERIEL*

La retraite de Condillac, où paraît son *Cours d'Etudes*, concerne
donc sa vie mondaine, nullement sa vie d'écrivain. Pendant sa pré-

paration, il entre à l'Académie française, en décembre 1768, au fauteuil de l'abbé d'Olivet, un historien humaniste qui avait reçu Voltaire. Son *Discours de réception* célèbre l'essor d'une Europe sortie de la barbarie pour entrer dans la lumière, glorifie les chefs éclairés, Richelieu, Louis XIV, Louis XV, dont il se flatte au passage, à propos de son préceptorat, d'avoir été « le confident ». Mais il décline l'offre flatteuse d'éduquer les trois fils du Dauphin, qui seront les rois Louis XVI, Louis XVIII et Charles X. Il se retire à la campagne, chez une nièce, fille du grand prévôt, séparée judiciairement d'un Mousquetaire noir de la Garde. Pour elle, en 1773, il achète pour 75 000 livres le domaine rural de Flux, au baillage de Beaugency, près d'Orléans. Il y vit ses dernières années, simplement, sans luxe, aimant Dieu, faisant célébrer l'office dans la chapelle devant les gens de sa maison, recevant cordialement ses amis, allant seulement chaque année faire un court séjour à Paris.

Il lit peu, comme à l'ordinaire, bien qu'il ait une bibliothèque fournie. Mais il travaille toujours, il produit, et même il se renouvelle. Intéressé à l'essor économique, au développement des campagnes, il entre en 1776 à la Société royale d'Agriculture d'Orléans, où règne le libéralisme. Il y rencontre Lavoisier, Le Trosne, le physiocrate, conseiller au siège présidial; et c'est l'occasion d'un livre sur *Le commerce et le gouvernement, considérés relativement l'un à l'autre*. Une mouche l'aurait-elle piqué ? Il avait écrit, jadis, en son *Traité des systèmes*, que si on offrait à un philosophe « le commandement d'une armée, ou le gouvernement de l'Etat, il s'excuserait sans doute sur ce qu'il n'entend ni la guerre, ni la politique ». Non. Mais il se plaît à suivre, en un domaine fort complexe, le bénéfice de sa méthode. Et c'est alors le fondement de l'économie politique, comme science humaine positive, qu'il dégage et affermit. A travers quelques avatars, la doctrine physiocratique est alors à l'apogée, et le ministère de Turgot, en 1774, semble en assurer le triomphe. Condillac sera physiocrate, comme le sont tous ses amis; mais il avec tant d'indépendance et d'originalité, que les physiocrates l'attaqueront!

Soucieux « de faire un ouvrage utile », il traite successivement de la *science économique* et de la *politique économique*, des principes et de leurs conséquences. C'est que l'économie, comme toute science, doit résoudre des problèmes : étant donné des « connues », ou les moyens « propres à procurer l'abondance dans quelques genres », déterminer les « inconnues », ou les moyens propres à « procurer l'abondance dans tous ». Et c'est évidemment « aux connues à nous faire connaître les inconnues », ce qui soumet l'économie à l'ordre et à la rigueur de la méthode analytique, tout en fixant son langage.

1. *La science économique.*

Les principes de l'économie, Condillac ne les demande pas à quelque système abstrait, théologique ou moral, mais à l'analyse des faits. Ils se ramènent à cette loi où transparaît l'unité dans la multiplicité et le simple dans le complexe : *les besoins se satisfont par le commerce des biens; or le commerce suppose l'échange, l'échange suppose le prix, le prix suppose la valeur, la valeur suppose elle-même les besoins à satisfaire.* Voyons cela de plus près. D'abord, la valeur des choses est fonction de trois facteurs : 1) *L'utilité,* ou qualité relative à nos besoins, les besoins étant de deux sortes : les *naturels,* issus de notre conformation, les *factices,* issus de nos habitudes, mais que la société multiplie et rend souvent nécessaires. 2) *La rareté,* ou quantité relative à nos besoins : selon que les choses sont suffisantes, excessives, insuffisantes, il y a abondance, surabondance ou disette; leur valeur augmente dans la rareté et diminue dans l'abondance, ou mieux avec « l'opinion que nous avons de leur rareté et de leur abondance ». 3) *Le travail,* enfin, ou l'action par laquelle on se les procure, comme celui de puiser de l'eau dans la rivière, *a fortiori* celui du cultivateur, de l'artisan, du commerçant. Ainsi fondée sur l'utilité, modifiée par la rareté, amplifiée par le travail, la valeur n'est nullement une « qualité absolue », c'est un jugement sur les choses selon le besoin des hommes.

Cette valeur fondamentale fonde les *prix* et les *échanges.* Contrairement à ce qu'on croit, une chose n'a pas une valeur parce qu'elle coûte, elle coûte parce qu'elle vaut. D'une part, le prix des choses se fixe par comparaison de leur valeur réciproque, et cette valeur relative varie avec les besoins, la quantité des produits, la concurrence des producteurs. D'autre part, cette fixation se règle dans les marchés où les échanges s'accomplissent en fonction de l'offre et de la demande. Cet échange des marchandises selon le prix, c'est le *commerce;* il accorde les objets et les besoins, multiformes, soit immédiatement, soit par l'entremise des marchands, « canaux de circulation entre le producteur et le consommateur ».

Si toutes les richesses naturelles viennent de la terre fertilisée par le travail, le commerce lui aussi, augmentant la masse des besoins satisfaits, augmente la masse des richesses; car chacun, en échangeant ce qui lui est superflu pour ce qui lui est nécessaire, *donne moins pour avoir plus*, et l'échange est avantageux à tous. En conduisant le produit du lieu où il n'a point de valeur aux lieux où il en prend une, le commerçant fait donc « de rien quelque chose ». L'artisan de même, produisant des choses de seconde nécessité, satisfait des besoins accrus, intensifie les échanges avec les consommateurs. *Ce n'est donc pas l'agriculture seule, comme le pensent les physiocrates, c'est l'industrie, c'est le commerce, c'est tout le labeur des hommes, qui multiplient la richesse en distribuant le bien-être.*

Le salaire est le profit que chacun tire de son travail, et qui lui permet de vivre. Variable avec la concurrence, l'habileté, le talent, il retombe dans le circuit de la consommation et de la production, si bien que « tous les citoyens sont salariés respectivement les uns des autres ». Le travail des uns et des autres est donc source de valeurs, par conséquent de richesses, richesses foncières ou naturelles, richesses mobilières ou artificielles, qui transforment les premières. Ainsi, « quand tout est dans l'ordre, tous les travaux sont utiles », et les salaires équitables. Les villes, formées de propriétaires, d'artisans et de marchands, multipliant l'industrie et le commerce, contribuent « à faire fleurir l'agriculture », dont le progrès rejaillit sur le commerce et l'industrie. Le salaire des ouvriers des manufactures ou des champs représente la part qu'ils ont au produit comme copropriétaires », si bien que « tous les citoyens sont, chacun en raison de son travail, copropriétaires des richesses de la société ». Et le droit de propriété sur la terre ou les produits est inviolable et sacré.

Mais le commerce nécessite un instrument : c'est *la monnaie.* Parmi les métaux usuels, l'or et l'argent (parfois le cuivre) pour leur rareté, leur durabilité, leur commodité, sont devenus « la mesure commune de toutes les valeurs ». Ils permettent de préciser les prix, de faciliter les échanges. fondés sur l'intérêt réciproque des échangeurs à échanger. L'argent circule continuellement, se ramasse, se distribue, de réservoirs en canaux, de canaux en réservoirs, principalement dans les villes. Il s'accélère au surplus avec l'usage du crédit, les opérations de change, le prêt à intérêt que Condillac justifie contre ses détracteurs, car il soutient le commerce, augmente la concurrence et rend l'Etat plus prospère, à condition que l'intérêt, à l'inverse de l'usure, se règle dans les places de commerce, publiquement, honnêtement, librement. Condillac analyse d'ailleurs le mécanisme des banques pour en instruire le public, car « l'ignorance livre les marchands à la discrétion des banquiers »; et « si l'art de mettre en valeur les terres avait fait les mêmes progrès que l'art de mettre l'argent en valeur, nos laboureurs ne seraient pas aussi misérables qu'ils le sont ».

La valeur de l'or et de l'argent, variable avec leur quantité, leur usage, se règle entre les nations comme dans un « marché commun », s'ils y circulent librement. De même, un commerce libre égaliserait les prix, notamment le prix du blé, entre les diverses nations comme entre les diverses provinces, et fixerait *le vrai prix,* c'est-à-dire le moins variable et le plus avantageux. On éviterait les excès de la disette ou de la surabondance, les prix trop élevés ou trop bas, source de désordres et de misère; on proportionnerait la production et la consommation dans un essor régulier, qui permettrait à son tour une population croissante. Par contre, le monopole a quelque chose d'odieux, car livrant le consommateur à la merci du vendeur, il s'établit « sur les ruines de la liberté ». Aussi la liberté seule et la libre concurrence nationale et internationale peut remédier à ces abus.

Au total, *les nations sont solidaires, comme les citoyens d'une nation, et la solidarité implique la liberté.* Dans une nation d'une part, le progrès économique résulte, sans préférence exclusive, du meilleur emploi des terres par le progrès agricole, du meilleur emploi des hommes par le progrès industriel; ce qui suppose une « vie simple », éloignée de la grossièreté primitive et de la mollesse luxueuse, où chacun puisse vivre de son travail, sous l'autorité souveraine entretenue par les impôts, qui protège les arts et le commerce dans « l'ordre et la liberté ». Entre les nations d'autre part, il faut que les produits s'échangent par une libre circulation, sans prohibition, sans obstacles, afin que toutes s'enrichissent, et que leurs richesses respectives soient « en raison de la fertilité du sol et de l'industrie des habitants ». Telle est la leçon que Condillac donne aux nations européennes, jalouses, rivales, belliqueuses comme au temps de la barbarie, alors qu'elles sont associées dans la richesse ou la ruine; principalement à la France « faite pour être l'entrepôt du Nord et du Midi », et « le marché commun de toute l'Europe ».

2. *La politique économique.*

De ces principes scientifiques résulte alors une technique à l'usage des gouvernements. Ici, comme avec la statue, Condillac use d'une fiction pour mieux éclairer les peuples aveuglés par leurs erreurs : *il imagine les avantages dont jouirait un autre peuple qui en serait délivré, et les dangers d'y retomber : c'est une expérience pensée.*

Supposons donc un pays grand comme l'Angleterre, la France et l'Espagne réunies, aux productions variées, aux cités fraternelles, à la vie simple et paisible, exempt de tyrannie, d'inimitié. Il ne connaît « ni les péages, ni les douanes, ni les impôts arbitraires, ni les privilèges, ni les polices qui gênent la liberté ». Les produits se répandent aux moindres frais, par une sorte de flux et de reflux, en proportion des besoins. Les richesses se répartissent suffisamment, équitablement, dans les campagnes, dans les villes, comme entre les citoyens, sans opulence ni misère. Elles circulent des manufactures à l'agriculture comme un fleuve qui féconde tout, et toutes les provinces mutuellement, par le jeu de la concurrence, s'équilibrent et s'épanouissent[1]. Jouissant, grâce à leurs échanges, des mêmes productions et des mêmes commodités, elles ont aussi les mêmes mœurs; des mœurs simples, ignorant le luxe, qui consiste en des jouissances « qui sont le partage du petit nombre, à l'exclusion du plus grand ». On n'y verra pas « de ces fortunes disproportionnées qui se forment des dépouilles d'une multitude de familles réduites à la misère »; chacun sera dans l'aisance, « et si les for-

1. « Il ne faudrait pas, pour peupler davantage quelques provinces et pour les enrichir, faire des autres autant de déserts... », *Commerce*, II, ii, 357.

tunes ne sont pas égales, ce sera uniquement parce que les talents ne sont pas égaux ».

Mais semons la dissension, entravons le commerce : tout change. Divisées par les guerres, les nations se ruinent, se dévastent, même si quelques-unes « se couvrent de gloire, de cette gloire que les peuples, dans leur stupidité, attachent aux conquêtes, et que les historiens, plus stupides encore, aiment à célébrer jusqu'au point d'ennuyer le lecteur[1] ». Les douanes et les péages ralentissent le commerce, provoquent la contrebande, qu'on s'efforce coûteusement et vainement d'empêcher. Les impôts sur l'industrie et sur la consommation[2], les privilèges abusifs des maîtrises et communautés, les monopoles des compagnies, comme le sel, les altérations et variations des monnaies, l'exploitation excessive des mines d'or et d'argent, les emprunts du gouvernement, la police sur l'exportation, l'importation, la circulation des grains, le luxe des grandes capitales, l'inégalité des richesses, la jalousie et l'armement des nations, l'esprit de spéculation des producteurs, des négociants, des financiers, de l'administration même, mettent le comble au désordre et à la misère, « les villes se remplissent de mendiants, les campa-

---

1. Contre les guerres, cf. : « Toujours armées les unes contre les autres, elles s'accoutument aux plus grandes cruautés; elles se font un point d'honneur d'en commettre; elles se bravent uniquement pour se braver, et les haines, entretenues par des guerres continuelles, semblent tendre à les exterminer » (*Histoire ancienne*, t. IX, p. 40). « N'accordons-nous pas toute notre considération aux conquérants ? Cependant, cette considération n'est autre chose qu'un reste de l'estime que nos pères barbares accordaient aux brigands. Car la conquête ne cesse pas d'être un brigandage, parce que, au lieu de dépouiller quelques particuliers, elle dépouille des nations et détruit des empires » (*ibid.*, t. X, p. 398). « Si, depuis qu'elles sont civilisées, les nations condamnent le brigandage et les brigands, elles ne les condamnent que sous ces noms; elles les considèrent sous ceux de conquête et de conquérants, et quoiqu'il n'y ait que les mots de changés, elles regardent comme des succès glorieux la dévastation des provinces, la ruine des monarchies et la fondation de nouveaux empires. Il semble que nous applaudissions à de grandes révolutions, parce qu'elles nous offrent de grandes calamités, les conquérants deviennent l'objet de notre admiration stupide, et le droit de conquête s'établit comme un droit incontestable » (*ibid.*, t. XI, p. 140).

2. « La multiplicité des impôts finit par faire, de cette partie de l'administration, une science à laquelle personne ne peut rien comprendre », *Commerce*, II, VIII, p. 395.

gnes se dépeuplent, et l'Etat, qui a contracté des dettes immenses, semble n'avoir encore de ressources que pour achever sa ruine ».

Finalement, par cette fiction, Condillac peut en son temps — treize ans avant la Révolution — dénoncer bien des abus, analyser bien des fautes, suggérer bien des remèdes. D'où l'allure vivante et percutante de cette œuvre, à la fois traité scientifique et hymne au libéralisme. C'est la liberté, jaillie de la nature humaine, qui est le ressort du progrès intellectuel et social, car l'un ne va pas sans l'autre : d'elle seule viendra le salut, maintenant que « l'Europe s'éclaire ». Est-ce archaïque ? Est-ce naïf ? Nous avons pour en juger d'infaillibles théoriciens; mais ils ne sont pas d'accord. Rendons néanmoins justice à ce philosophe français, qui proclame que « tous les peuples, malgré les préjugés qui les divisent, sont comme une seule république, ou plutôt comme une seule famille », et conclut généreusement : « Malheur au peuple qui voudrait se passer de tous les autres. » (Voir Choix de Textes 24.)

3. L'HOMME ET LA VERITE

Ce n'est pas fini : l'année suivante, le gouvernement de Pologne entreprend de moderniser l'enseignement dans les écoles palatines; le Conseil préposé à l'éducation nationale cherche un traité élémentaire de logique, en français. Renonçant à un concours, c'est à Condillac qu'il s'adresse, le 2 septembre 1777, par l'entremise du comte Potocki, grand notaire de Lithuanie. Condillac, flatté, accepte : « Certainement, je ne me refuserai pas aux vœux d'une nation dont le sort intéresse tout homme qui, dans ce siècle, peut avoir encore l'âme d'un citoyen. » (La Pologne demandait par ailleurs à Rousseau et à Mably de lui fournir une Constitution.) En sept mois, l'ouvrage est prêt et paraît à titre posthume en 1780, à Paris : livre court, où se dégage plus nettement que dans les autres dont il condense l'essentiel, l'âme et les limites de la doctrine.

Cette logique concerne surtout « les premiers développements de l'art de penser », parce que « les hommes ont pensé avant de chercher comment on pense »; autrement dit la pratique a formé la théorie. Condillac entend montrer que la méthode analytique sort de la nature elle-même, et que l'art de raisonner par le moyen de l'analyse se réduit à une langue bien faite, qui en est l'unique instrument.

I. *LA NATURE ET L'ANALYSE*

L'idée maîtresse, c'est *la liaison de la nature et de la culture*. D'une part, la nature est bonne, elle nous donne les premières leçons, il importe de la suivre, ou plutôt de la retrouver. D'autre part, l'esprit comme le corps développe toutes ses facultés par l'usage et l'expérience, selon des règles implicites. L'art de penser consiste donc à expliciter ses règles, afin de faire volontairement ce que nous faisons spontanément. *La nature, c'est en effet la détermination de nos facultés par nos besoins* (chaque espèce, oiseau, poisson, ayant sa propre nature conforme à son organisation). Or, l'enfant acquiert lui-même les connaissances nécessaires à sa conservation; il apprend à démêler les objets qui l'intéressent, par exemple sa nourrice. La nature commence à l'instruire, « et elle commence toujours bien, parce qu'elle commence seule ». S'il se trompe parfois, l'expérience par le jeu de l'affectivité vient corriger ses méprises : « Le plaisir et la douleur, voilà donc nos premiers maîtres. »

Mais à peine sortis de l'enfance, « nous portons une multitude de jugements sur lesquels la nature ne nous instruit plus; et nous nous trompons avec confiance ». Précipitation, prévention, « curiosité ignorante » que l'expérience ne détrompe pas : ainsi les erreurs commencent lorsque la nature nous laisse. Il faudra donc acquérir l'habitude de raisonner bien, « continuer comme la nature nous a fait commencer », suivre le chemin qu'elle a ouvert, en soumettant « nos jugements à l'épreuve de l'observation ». Bref, pratiquer cette logique, « la plus simple, la plus facile et la plus lumineuse » qui soit, parce que la plus naturelle.

Or, la méthode naturelle à l'esprit, c'est l'analyse. Les œuvres antérieures l'ont dit : *c'est un processus de décomposition et de recomposition, par lequel nous discernons les objets et leurs rapports dans un ordre successif répondant à notre attention, afin de les embrasser tous dans un ordre simultané répondant à leur existence.*

Connaître distinctement, c'est saisir le lien des choses dans le champ de la pensée, aller du tout aux parties et des parties au tout par relations continues. Ainsi procède le peintre pour comprendre un paysage, le mécanicien une machine, la couturière un modèle. Fournissant des idées exactes et des connaissances vraies, l'analyse seule permet de s'instruire, de se faire entendre; elle seule fait les esprits justes; elle seule « inspire l'homme de génie »; c'est sa Muse, c'est la nature, celle qu'écouterait le philosophe s'il ne se gargarisait de son jargon vide de sens.

L'analyse seule, procédant du connu à l'inconnu, peut accroître la connaissance. Si les sens, effectivement, nous donnent nos premières idées, celles des choses individuelles, nous en tirons celles des genres et des espèces par un classement utilitaire. Nous en formons un système « conforme à l'usage que nous voulons faire des choses », et nous le perfectionnons par l'étude des « phénomènes », sans atteindre les essences « dont nous n'avons point d'idées ». *Quel que soit donc son objet, l'analyse est l'unique méthode :* l'idée de Dieu même résulte de l'analyse de l'univers, de sa cause et de son ordre. Dans l'action, dans la pensée, la nature préside à tout.

Quel meilleur exemple offrir que l'œuvre de Condillac ? N'a-t-il pas su démêler, par analyse de l'esprit, son élément primordial, et reconstituer sa genèse à partir de cet élément ? Il appliquait donc déjà spontanément sa méthode avant de l'avoir codifiée, avec un double profit : montrant que la connaissance vient des sens, il permettait de la comprendre; montrant qu'elle dépasse les sens, il permettait de la conduire. Aussi résume-t-il ici l'ensemble de sa démarche : toutes les facultés s'éveillent à partir de la sensation, et se développent mutuellement dans le progrès spirituel, relié au mouvement vital des organes et du cerveau, que nous connaissons fort mal.

II. *L'ANALYSE ET LE LANGAGE*

Ce progrès, la méthode le guide en prolongeant la nature : c'est « le levier de l'esprit ». La nature est en effet le mobile de nos recherches, car c'est selon nos besoins que nos connaissances s'ordonnent. Mais cette logique naturelle, nous l'oublions rapidement pour embrasser des erreurs, des opinions sectaires ou des systèmes monstrueux, qui viennent de « l'habitude de nous servir des mots avant d'en avoir déterminé la signification ». Le langage est responsable de la perversion de l'esprit qu'il a pourtant éveillé.

Nous ne pouvons analyser que par le moyen des mots, capables de fixer, démêler et enchaîner les idées : ainsi « l'art de raisonner a commencé avec les langues », et n'a progressé que par elles. Elles sortent du « langage d'action », qui est « l'effet naturel et immédiat de notre conformation »; langage confus tout d'abord, car il exprime à la fois tout ce qu'on sent; mais qui apprend à décomposer les différents mouvements répondant aux diverses pensées comme on voit dans les mimiques. Cette analyse se perfectionne par le langage articulé et les signes conventionnels, qui distinguent dans un ensemble les éléments, leurs rapports, et les relient dans le discours. Ainsi, *le progrès de la pensée implique celui de la méthode, qui implique celui de la langue : le langage, qui fait passer de l'action à la réflexion, transforme l'analyse spontanée en analyse dirigée.* (Voir Choix de Textes 25.)

Toutes les langues sont donc des méthodes analytiques, issues de la seule expérience. Méthodes exactes d'abord, « tant qu'on n'a parlé que des choses relatives aux besoins de première nécessité. » Méthodes défectueuses ensuite, quand on les a étendues à des besoins de curiosité, à des « besoins inutiles, et tous plus frivoles les uns que les autres ». On s'est alors contenté de pensées superficielles, de jugements précipités que l'expérience ne soutient plus, et que pourtant les peuples échangent! On n'a pas su « découvrir les règles de l'art de raisonner » dans la formation des idées; on les a vainement cherchées dans « le mécanisme du discours ». D'où l'ambivalence des langues, qui font « tout le bien et tout le mal ». Précises en mathématiques et dans « quelques parties de la physique et de la chimie », elles ne se privent pas ailleurs de « dire des absurdités » : « il n'y a point d'opinions extravagantes qui ne trouvent des partisans »; en quoi la philosophie est devenue incomparable. De là ressort finalement une *théorie de la vérité*, qui sous-tend toute la doctrine : la vérité, c'est l'expérience expliquée et exprimée dans un langage adéquat. Puisque les idées générales sont des dénominations, non des êtres individuels, l'art de raisonner se réduit à une langue bien faite. *La relation des idées dépend de l'ordre des noms, lequel dépend de l'analyse qui détermine à la fois les noms et les idées : bien raisonner, bien penser, bien parler, c'est la même chose.* Cette analyse, découvrant des rapports, non des essences, atteint une vérité relative à notre esprit à sa limitation. C'est elle seule qui crée les langues comme elle crée les arts, les sciences, et fait toutes les découvertes. Elle doit donc se substituer aux rêves imaginaires, aux définitions verbales, à la synthèse ténébreuse, dont se nourrissent les systèmes. L'unique moyen de connaître, c'est de décomposer et de recomposer les choses selon l'ordre naturel. Ainsi procède l'algèbre, « la plus simple de toutes langues », qui tire l'inconnu du connu par une série de jugements « renfermés les uns dans les autres », et dont l'évidence consiste dans l'*identité des jugements.* Ainsi doit faire le philosophe, « car on raisonne de la même manière dans toutes les sciences. » Toute question, effectivement, supposant des connues et des inconnues, se résout par réduction des inconnues aux connues. Veut-on connaître « l'origine et la génération des facultés de l'entendement » ? Il faut trouver l'*inconnue,* le principe qui les engendre. Or, elles sont « toutes identiques à la faculté de sentir », transformée par le langage qui vient lui-même du sensible. *Selon le modèle idéal, chaque science doit donc se réduire à une première vérité successivement transformée, et constituer un système de complexité croissante à partir d'une donnée simple.* Ainsi, « l'évidence passe avec l'identité depuis l'énoncé de la question jusqu'à la conclusion du raisonnement » C'est là ce que Condillac a fait dans son système de l'esprit, dont le succès semble éclatant.

Mais du même coup transparaît le préjugé de la doctrine. Certes, c'est une logique d'*action* : « C'est notre activité, dit-il au comte Potocki le 23 janvier 1779, qui tire de nos sensations tout ce qu'elles renferment... Comment l'âme ne serait-elle pas active, dans un système où toutes nos idées sont notre ouvrage ? » C'est une logique d'*invention,* hostile, comme celle de Descartes, au formalisme scolastique, et qui retrouve la démarche d'une pensée organisée selon ses besoins vitaux : « C'est donc de la nature qu'il faut apprendre la vraie logique. Elle ne manquera jamais d'instruire quiconque saura l'étudier. » *Mais le ressort naturel de cette invention, de cette action, c'est le principe d'identité.* L'analyse, qui décompose et recompose les idées, comme on fait pour une machine démontée et remontée, a pour but de dégager l'identité du divers et l'unité du multiple. Sans doute, il y a des degrés de certitude : à *l'évidence de raison* (celle de la géométrie) s'adjoint l'*évidence de fait* et l'*évidence de sentiment* (celles de la physique et de la psychologie); au reste, faute d'évidence, on raisonne par *conjecture,* ou par *analogie*, sous réserve que l'expérience les confirme. Mais la certitude suprême consiste dans *la réduction de la réalité à l'identité.* — ce que Descartes avait nié —, si bien que le sens du concret risque de se perdre dans l'abstraction. Au fil des œuvres antérieures, la sensation était traitée comme une variable algébrique, dont chaque fonction de l'esprit serait une valeur différente successivement exprimée. Ainsi, c'est le logicien qui commandait le psychologue : on croyait suivre une genèse, on résolvait des équations! Mesurons ici le ravage que fait dans l'étude de l'homme, apparemment positive, le vœu d'obtenir trop vite une vision intelligible, et d'enfermer la pensée dans un système conceptuel qu'on prend pour une expérience [1]. (Voir Choix de Textes 26.)

*
* *

Au domaine de Flux cependant, Condillac travaille toujours. Pour illustrer, exploiter et compléter sa *Logique*, il rédige un gros ouvrage sur *La langue des calculs.* Il montre que l'analyse, en mathématiques

1. « Tout un système peut n'être qu'une seule et même idée. Tel est celui dans lequel la sensation devient successivement attention, mémoire, comparaison, jugement, réflexion, etc., idée simple, complexe, sensible, intellectuelle, etc.; il renferme une suite de propositions instructives par rapport à nous, mais toutes identiques en elles-mêmes; et chacun remarquera que cette maxime générale qui comprend tout ce système, *les connoissances et les facultés humaines ne sont dans le principe que sensation,* peut-être rendue par une expression plus abrégée, et tout-à-fait identique; car étant bien analysée, elle ne signifie autre chose, sinon que *les sensations sont des sensations.* Si nous pouvions, dans toutes les sciences, suivre également la génération des idées, et saisir par-tout le vrai système des choses, nous verrions d'une vérité naître toutes les autres, et nous trouverions l'expression abrégée de tout ce que nous saurions dans cette proposition identique, *le même est le même.* » *Art de penser,* I, x, p. 139.

comme ailleurs, exige des signes adéquats; qu'on est passé peu à peu, par une abstraction croissante, du calcul avec les doigts ou les cailloux au calcul avec les mots, avec les chiffres, avec les lettres; que les opérations simples, numération, addition, soustraction, multiplication, division, se prolongent et se transforment en opérations complexes, puissances, racines, fractions, proportions, progressions, logarithmes, sans qu'au fond la méthode change; que l'algèbre fournit le modèle de la pensée rigoureuse, exactement formulée et parfaitement identique, dont doit s'inspirer toute science, partant toute philosophie... Mais cette fois, c'est tout, l'œuvre inachevée ne paraîtra qu'à titre posthume, en 1798. A soixante-six ans, dans la nuit du 2 au 3 août 1780, après un voyage à Paris où il a vu Condorcet, le philosophe s'éteint, enlevé, dit un article local, « par une fièvre putride, bilieuse et vermineuse, très répandue dans le canton de Beaugency ». Outre *La langue des calculs,* il laissait une révision de ses œuvres pour une édition complète, qui paraîtra en 1798, et un *Dictionnaire des synonymes de la langue française,* important travail de linguistique, qui paraîtra seulement en 1951. Il voulait une sépulture simple, comme une tombe de paysan, sans monument, sans inscription. Le petit cimetière de Lailly a changé de place, la sépulture a disparu.

IV. LA DESTINÉE DE CONDILLAC

1. L'INFLUENCE DE L'ŒUVRE

Célébré, enseigné, réédité, Condillac eut en son temps le prestige de Bergson dans le nôtre. Outre ses liens avec Voltaire, Rousseau, Diderot, d'Alembert, Helvétius, il est surtout, avec Locke, le fondateur de l'*idéologie*, qui, puisque l'idée signifie toute modalité de pensée, englobe toute la vie mentale. De lui se réclament on s'inspirent La Harpe, Lakanal, Garat, Volney, de Gerando, Guinguené, Thurot. Mieux encore, Destutt de Tracy, dans son *Mémoire sur la faculté de penser* (1796), *et ses Eléments d'idéologie* (1803). Cabanis, dans son *Histoire physiologique des sensations* (1796) et ses *Rapports du physique et du moral de l'homme* (1802); Laromiguière, dans ses *Leçons de philosophie* (1815) et ses *Principes de l'Intelligence* (1844). Et le mouvement, sorti de Parme, s'épanouit en Italie, avec Soave, Gioia, Borelli, Romagnosi. Toutefois, ces idéologues, exploitant l'œuvre, la transforment, par un souci plus aigu de l'expérience spirituelle. Renonçant comme Condillac aux chimères de l'ontologie, Destutt de Tracy distingue dans l'esprit quatre facultés irréductibles, la sensibilité, la mémoire, le jugement, la volonté, et insiste sur le mouvement dans la perception du monde. Cabanis accentue le rôle des conditions physiologiques et des sensations internes à la source de la pensée, du rêve, de la folie. Laromiguière oppose à la sensation passive l'activité de l'attention qu'elle ne saurait engendrer. Les Italiens, de leur côté, séparent de la sensation l'activité volontaire comme deux choses hétérogènes. Si bien que la réalité se refuse à l'identité dont se régalait Condillac; les faits font craquer le système qui prétendait les décrire; la philosophie, une fois de plus, ne progresse qu'en s'écroulant.

C'est cependant Maine de Biran, d'abord lecteur de Condillac, qui se fait son détracteur. Dans toutes ses œuvres, notamment son *Mé-*

moire sur la décomposition de la pensée (1804), son *Essai sur les fondements de la psychologie* (1812), ses *Nouveaux essais d'anthropologie* (1823), la critique s'approfondit, tandis que par opposition, le biranisme se lève. Ce qu'il lui reproche, c'est de substituer à la vie psychique concrète, toujours complexe et mouvante, le découpage de « facultés » qui ne sont que des noms abstraits, et de reconstruire la vie par le seul enchaînement de ces noms. La sensation primitive elle-même n'est qu'une abstraction réalisée. Condillac échoue à en tirer *la conscience*, puisque la conscience, d'emblée, préside à toute sensation; à en tirer *la volonté*, puisque l'effort volontaire déborde toute passivité; à en tirer *la personne*, puisque le moi est impliqué dans toutes ses opérations. Bref, ou l'on se donne l'esprit en même temps que la sensation, ou l'on ne se le donne pas : sa genèse est dans le premier cas factice, dans le second cas impossible. Le système ne vaut guère mieux que ceux qu'il a combattus! Le sensualisme s'effondre devant le spiritualisme nouveau.

Attaquée par Royer-Collard, Victor Cousin, Joseph de Maistre, avec moins de profondeur et plus de partialité, la doctrine va pourtant renaître d'une manière originale dans une double direction. D'une part, en Angleterre, avec l'associationnisme de Stuart Mill et de son école, en influençant aussi la pensée d'Herbert Spencer, de Bain, de Hamilton. D'autre part, en France, avec Taine, dont l'étude *De l'intelligence*, en 1870, coordonne une masse de faits psychologiques, pathologiques, physiologiques, en fonction de principes simples. Dans les deux cas, il s'agit d'une analyse de l'esprit limitée à l'expérience, mais capable d'expliquer par le jeu des états de conscience l'ensemble de la vie mentale, comme on recompose les corps à partir des éléments. Enfin, de même que Condillac s'effondrait sous les coups de Biran, l'atomisme associationniste de ses brillants successeurs devait s'engloutir un jour dans le courant de conscience de Bergson, dont la durée, à son tour, n'est peut-être pas garantie...

2. LA VALEUR DE L'ŒUVRE

Par tout ce qu'elle prépare ou provoque, l'œuvre intéresse l'historien. Mais pour nous, qu'en reste-t-il ? Pièce de musée ? Pensée vivante ? Les deux à la fois peut-être ? Ce qui frappe, c'est son mélange de modestie et d'ambition. Modeste, elle abandonne les chimères de l'ontologie pour se replier sur l'homme. Ambitieuse, elle veut attendre en ce domaine limité une compréhension totale. D'où ses mérites et ses vices. D'une part, elle scrute la pensée en ses aspects multiformes; d'autre part, elle la réduit à l'unité d'une formule. Entre un empirisme concret qui fouille la réalité et un logicisme abstrait qui manipule des notions, elle oscille et cherche l'accord. Mais le vécu et le pensé, le sensible et l'intelligible, l'existence et le système, se laissent-ils assimiler ? La complexité de l'esprit sort-elle de la simplicité d'une sensation transformée, alors que cette sensation n'est simple que parce qu'elle n'est rien ? Un panlogisme secret, comme chez Leibniz, Spinoza, préside à l'observation si fortement réclamée et risque de la fausser. Un jugement à double face en définitive s'impose, pour que la sévérité ne l'emporte pas sur la justice.

Certes, dans un domaine où les progrès vont lentement mais où les idées vont vite, la psychologie de Condillac a terriblement vieilli. Pour un psychanalyste, elle manquera de profondeur, et si l'on peut dire, de sexe; pour un caractérologue, de variété; pour un existentialiste, de tragique. Elle sera décevante pour un théologien, angélique pour un psychiatre, abstraite pour un sociologue, décidément enfantine pour un psychologue de l'enfance. Un psychotechnicien trouvera qu'elle parle trop; un moraliste pas assez; et nul ne s'avise aujourd'hui, pour mieux comprendre les hommes, d'interroger les statues. Il lui arrive même parfois de servir de tête de Turc à des interprètes pressés, des bacheliers triomphants. Notre psychologie, par contre, est déjà somptueusement riche. Elle est toute gonflée de formes, de structures, de pulsions, de complexes, d'affects, de phases, de sous-phases, de coordonnées, de composantes, de facteurs plus ou moins spéciaux, de schèmes plus ou moins dynamiques. Il lui arrive même, quelle ivresse, de dire des choses que tout le monde sait, en un style que nul ne comprend. Mais à son tour, que vaudra-t-elle dans deux siècles ? Aura-t-elle un autre sort que celui de son précurseur ? Sera-t-elle moins oubliée, ou plus digne d'être relue ?... Songeons d'ailleurs à l'ampleur de la doctrine de Condillac : métaphyique, logique, linguistique, psychologie humaine, psychologie animale, pédagogie, histoire, économie politique, mathématique, elle touche tout cela, et sur tout cela elle met sa marque : le souci d'exactitude et d'intelligibilité, qui ne vont point sans courage. Elle contient, au moins en germe, bien des thèses qui feront fortune : naturalisme, culturalisme, évolutionisme, pragmatisme, utilitarisme, relativisme, criticisme, positivisme, associationnisme, phénoménisme, dans une œuvre cohérente, fidèle, en son essor même, à ses principes initiaux. Et dans le détail, que de thèmes dont l'avenir se souciera! S'agit-il de psychologie ? Rôle de l'organisme, du climat, du milieu, du genre de vie; inséparabilité, interférence de toutes les fonctions mentales; formation de la conscience du corps, du monde extérieur, des objets; importance du toucher, du mouvement, de l'apprentissage, de l'habitude; fantaisies de l'imagination, du rêve, de la folie; mécanisme de l'abstraction, du jugement, du raisonnement; naissance et puissance du langage; rapport de la passion et de l'action, de l'instinct et de l'intelligence, du désir et de la volonté, de la nature et de la culture; origine des idées morales, philosophiques, religieuses; influence de l'imitation, de l'éducation, des modèles; diversité des mœurs, croyances, traditions, institutions; différenciation des langues, des arts, des sciences, des techniques; alternance des révolutions, du progrès de la décadence. S'agit-il de philosophie ? Critique violente des préjugés, de l'innéisme, des entités officielles (absolu, substance, essence, esprit, matière, cause, force, infini); relativité des notions d'espace et de temps; théorie de la méthode expérimentale et de l'hypothèse; liaison de l'intelligible et du sensible, de la connaissance et de la vie; formation, opération, limitation de l'entendement. En outre, par sa destruction de l'ontologie rationnelle et des systèmes dogmatiques, son culte de la science newtonienne, sa réduction de l'expérience aux phénomènes, son désir de métaphysique rigoureuse, son analyse des structures de la pensée, il a contribué, comme Hume, dont pourtant il ne s'inspire pas, à préparer le climat de la révolution kantienne, qui reprend tout par la racine. Enfin, dans une langue simple, pure, alerte, cristalline, merveilleusement ajustée aux rigueurs de son dessein, il n'a cessé d'honorer ces valeurs inestimables, qui feraient l'honneur des hommes s'ils ne cessaient de les trahir : l'intelligence, la liberté, la tolérance et la paix.

Choix de textes

Les textes cités sont extraits de la grande édition de 1798 : Œu-vres de Condillac, revues, corrigées par l'auteur, 23 volumes, in-8° Paris, Imprimerie de C. Houel, an VI-1798. Les références ren-voient, pour chaque œuvre, aux pages de cette édition.

que, dans le principe ou dans le commencement, nos connaissances sont uniquement pour nous aye, que nous ne nous intéressons que d'que; les leçons; et que tout l'art de nous amuse consiste à continuer comme elle nous a fait commencer.

Or la première découverte que fait un enfant, est elle de son corps. Ce n'est donc pas lui proprement qu'il la fait; c'est la nature que la lui montre tout faite.

Mais la nature ne lui montrerait pas son corps, si elle ne lui faisait jamais éprouver les sensations qu'il y a unie, que comme des modifications qui n'appartiennent que à son ame. Le moi d'un enfant, concentré au dans son ame, ne pourrait jamais regarder les différentes parties de son corps comme autant de parties de lui même.

La nature n'avait donc qu'un moyen de lui faire connaître son corps, et ce moyen était de lui faire apercevoir les sensations, non comme des manières d'être de son ame, mais comme des modifications des organes qui en font autant de corps accidentels, pour le b moi, ou bien être avertit leur nom, devant s'étendre, se répandre, elle

1. UNE NOUVELLE MÉTAPHYSIQUE

La science qui contribue le plus à rendre l'esprit lumineux, précis et étendu, et qui, par conséquent, doit le préparer à l'étude de toutes les autres, c'est la métaphysique. Elle est aujourd'hui si négligée en France, que ceci paroîtra sans doute un paradoxe à bien des lecteurs. J'avouerai qu'il a été un temps où j'en aurois porté le même jugement. De tous les philosophes, les métaphysiciens me paroissoient les moins sages : leurs ouvrages ne m'instruisoient point; je ne trouvois presque par-tout que des phantômes, et je faisois un crime à la métaphysique des égaremens de ceux qui la cultivoient. Je voulus dissiper cette illusion et remonter à la cause de tant d'erreurs : ceux qui se sont le plus éloignés de la vérité, me devinrent les plus utiles. A peine eus-je connu les voies peu sûres qu'ils avoient suivies, que je crus apercevoir la route que je devois prendre. Il me parut qu'on pouvoit raisonner en métaphysique et en morale avec autant d'exactitude qu'en géométrie; se faire, aussi bien que les géomètres, des idées justes; déterminer, comme eux, le sens des expressions d'une manière précise et invariable; enfin se prescrire, peut-être mieux qu'ils n'ont fait, un ordre assez simple et assez facile pour arriver à l'évidence.

Il faut distinguer deux sortes de métaphysique. L'une, ambitieuse, veut percer tous les mystères; la nature, l'essence des êtres, les causes les plus cachées, voilà ce qui la flatte et ce qu'elle se promet de découvrir; l'autre, plus retenue, proportionne ses recherches à la foiblesse de l'esprit humain, et aussi peu inquiette de ce qui doit lui échapper, qu'avide de ce qu'elle peut saisir, elle sait se contenir dans les bornes qui lui sont marquées. La première fait de toute la nature une espèce d'enchantement qui se dissipe comme elle : la seconde, ne cherchant à voir les choses que comme elles sont en effet, est aussi simple que la vérité même. Avec celle-là les erreurs s'accumulent sans nombre, et l'esprit se contente de notions vagues et de mots qui n'ont aucun sens : avec celle-ci on acquiert peu de connoissances; mais on évite l'erreur : l'esprit devient juste et se forme toujours des idées nettes.

Les philosophes se sont particulièrement exercés sur la première, et n'ont regardé l'autre que comme une partie accessoire qui mérite à peine le nom de métaphysique. Locke est le seul que je crois devoir excepter : il s'est borné à l'étude de l'esprit humain, et a rempli cet objet avec succès. Descartes n'a connu ni l'origine ni la génération de nos idées. C'est à quoi il faut attribuer l'insuffisance de sa méthode; car nous ne découvrirons point une manière sûre de conduire nos pensées, tant que nous ne saurons pas comment elles se sont formées. Mallebranche, de tous les Cartésiens celui qui a le mieux aperçu les causes de nos erreurs, cherche tantôt dans la matière des comparaisons pour expliquer les facultés de l'ame : tantôt il se perd dans un *monde intelligible*, où il s'imagine avoir trouvé la source de nos idées. D'autres créent et anéantissent des êtres, les ajoutent à notre ame, ou les en retranchent à leur gré, et croient, par cette imagination, rendre raison des différentes opérations de notre esprit, et de la manière dont il acquiert ou perd des connoissances. Enfin les Léibnitiens font de cette substance un être bien plus parfait : c'est, selon eux, un petit monde, c'est un miroir vivant de l'univers; et, par la puissance qu'ils lui donnent de représenter tout ce qui existe, ils se flattent d'en expliquer l'essence, la nature et toutes les propriétés. C'est ainsi que chacun se laisse séduire par ses propres systèmes. Nous ne voyons qu'autour de nous, et nous croyons voir tout ce qui est : nous sommes comme des enfants qui s'imaginent qu'au bout d'une plaine ils vont toucher le ciel avec la main.

Seroit-il donc inutile de lire les philosophes? Mais qui pourroit se flatter de réussir mieux que tant de génies qui ont fait l'admiration de leur siècle, s'il ne les étudie au moins dans la vue de profiter de leurs fautes? Il est essentiel pour quiconque veut faire par lui-même des progrès dans la recherche de la vérité, de connoître les méprises de ceux qui ont cru lui en ouvrir la carrière, L'expérience du philosophe, comme celle du pilote, est la connoissance des écueils où les autres ont échoué; et, sans cette connoissance, il n'est point de boussole qui puisse le guider.

Ce ne seroit pas assez de découvrir les erreurs des philosophes, si l'on n'en pénétroit les causes : il faudroit même remonter d'une cause à l'autre, et parvenir jusqu'à la première; car il y en a une qui doit être la même pour tous ceux qui s'égarent, et qui est comme un point unique où commencent tous les chemins qui mènent à l'erreur. Peut-être qu'alors, à côté de ce point on en verroit un autre où commence l'unique chemin qui conduit à la vérité.

Notre premier objet, celui que nous ne devons jamais perdre de vue, c'est l'étude de l'esprit humain, non pour en découvrir la nature, mais pour en connoître les opérations, observer avec quel art elles se combinent, et comment nous devons les conduire, afin d'acquérir toute l'intelligence dont nous sommes capables. Il faut remonter à l'origine de nos idées, en développer la génération, les suivre jusqu'aux limites que la nature leur a prescrites, par-là fixer l'étendue et les bornes de nos connoissances et renouveler tout l'entendement humain.

Ce n'est que par la voie des observations que nous pouvons faire ces recherches avec succès, et nous ne devons aspirer qu'à découvrir une première expérience que personne ne puisse révoquer en doute et qui suffise pour expliquer toutes les autres. Elle doit montrer sensiblement quelle est la source de nos connoissances, quels en sont les matériaux, par quel principe ils sont mis en œuvre, quels instrumens on y emploie et quelle est la manière dont il faut s'en servir. J'ai, ce me semble, trouvé la solution de tous ces problêmes dans la liaison des idées, soit avec les signes, soit entre elles : on en pourra juger à mesure qu'on avancera dans la lecture de cet ouvrage.

On voit que mon dessein est de rappeler à un seul principe tout ce qui concerne l'entendement humain, et que ce principe ne sera ni une proposition vague, ni une maxime abstraite, ni une supposition gratuite; mais une expérience constante, dont toutes les conséquences seront confirmées par de nouvelles expériences.

Essai sur l'origine des connaissances humaines. Introduction, pp. 1 à 9.

2. L'AME ET LE CORPS

§ 6. Le péché orginel a rendu l'âme si dépendante du corps, que bien des philosophes ont confondu ces deux substances. Ils ont cru que la première n'est que ce qu'il y a dans le corps de plus délié, de plus subtil, et de plus capable de mouvement : mais cette opinion est une suite du peu de soin qu'ils ont eu de raisonner d'après des idées exactes. Je leur demande ce qu'ils entendent par un corps. S'ils veulent répondre d'une manière précise, ils ne diront pas que c'est une substance unique; mais ils le regarderont comme un assemblage, une collection de substances. Si la pensée appartient au corps, ce sera donc en tant qu'il est assemblage et collection, ou parce qu'elle est une propriété de chaque substance qui le compose. Or ces mots *assemblage* et *collection* ne signifient qu'un rapport externe entre plusieurs choses, une manière d'exister dépendamment les unes des autres. Par cette union, nous les regardons comme formant un seul tout, quoique, dans la réalité, elles ne soient pas plus *une* que si elles étoient séparées. Ce ne sont-là par conséquent, que des termes abstraits, qui au dehors ne supposent pas une substance unique, mais une multitude de substances. Le corps, en tant qu'assemblage et collection, ne peut donc pas être le sujet de la pensée.

Diviserons-nous la pensée entre toutes les substances dont il est composé ? D'abord cela ne sera pas possible, quand elle ne sera qu'une perception unique et indivisible. En second lieu, il faudra encore rejeter cette supposition, quand la pensée sera formée d'un certain nombre de perceptions. Qu'A, B, C, trois substances qui entrent dans la composition du corps, se partagent trois perceptions différentes, je demande où s'en fera la comparaison. Ce ne sera pas dans A, puisqu'il ne sauroit comparer une perception qu'il a avec celles qu'il n'a pas. Par la même raison, ce ne sera ni dans B, ni dans C. Il faudra donc admettre un point de réunion; une substance qui soit en même temps un sujet simple et indivisible de ces trois perceptions; distincte, par conséquent, du corps; une ame, en un mot.

§ 7. Je ne sais pas comment Locke a pu avancer qu'il nous sera peut-être éternellement impossible de connoître si Dieu n'a point donné à quelque amas de matière, disposée d'une certaine façon, la puissance de penser. Il ne faut pas s'imaginer que, pour résoudre cette question, il faille connoître l'essence et la nature de la matière. Les raisonnemens qu'on fonde sur cette ignorance, sont tout-à-fait frivoles. Il suffit de remarquer que le sujet de la pensée doit être *un*. Or un amas de matière n'est pas *un*; c'est une multitude.

§ 8. L'ame étant distincte et différente du corps, celui-ci ne peut être que cause occasionnelle de ce qu'il paroît produire en elle. D'où il faut conclure que nos sens ne sont qu'occasionnellement la source de nos connoissances. Mais ce qui se fait à l'occasion d'une chose, peut se faire sans elle, parce qu'un effet ne dépend de sa cause occasionnelle que dans une certaine hypothèse. L'ame peut donc absolument, sans le secours des sens, acquérir des connoissances. Avant le péché, elle étoit dans un système tout différent de celui où elle se trouve aujourd'hui. Exempte d'ignorance et de concupiscence, elle commandoit à ses sens, en suspendoit l'action, et la modifioit à son gré. Elle avoit donc des idées antérieures à l'usage des sens. Mais les choses ont bien changé par sa désobéissance. Dieu lui a ôté tout cet empire : elle est devenue aussi dépendante des sens, que s'ils étoient la cause physique de ce qu'ils ne font qu'occasionner; et il n'y a plus pour elle de connoissances que celles qu'ils lui transmettent. De-là l'ignorance et la concupiscence. C'est cet état de l'ame que je me propose d'étudier, le seul qui puisse être l'objet de la philosophie, puisque c'est le seul que l'expérience fait connoître. Ainsi, quand je dirai *que nous n'avons point d'idées qui ne nous viennent des sens,* il faut bien se souvenir que je ne parle que de l'état où nous sommes depuis le péché. Cette proposition appliquée à l'ame dans l'état d'innocence, ou après sa séparation du corps, seroit tout-à-fait fausse. Je ne traite pas des connoissances de l'ame dans ces deux derniers états, parce que je ne sais raisonner que d'après l'expérience. D'ailleurs, s'il nous importe beaucoup, comme on n'en sauroit douter, de connoître les facultés, dont Dieu, malgré le péché de notre premier père, nous a conservé l'usage, il est inutile de vouloir deviner celles qu'il nous a enlevées, et qu'il ne doit nous rendre qu'après cette vie.

Je me borne donc, encore un coup, à l'état présent. Ainsi il ne s'agit pas de considérer l'ame comme indépendante du corps, puisque sa dépendance n'est que trop bien constatée, ni comme unie à un corps dans un système différent de celui où nous sommes. Notre unique objet doit être de consulter l'expérience, et de ne raisonner que d'après des faits que personne ne puisse révoquer en doute.

Essai..., I, 1, 1, pp. 20-25.

3. LA CONSCIENCE ET L'ATTENTION

§ 5. Entre plusieurs perceptions dont nous avons en même temps conscience, il nous arrive souvent d'avoir plus conscience des unes que des autres, ou d'être plus vivement averti de leur existence. Plus même la conscience de quelques-unes augmente, plus celle des autres diminue. Que quelqu'un soit dans un spectacle, où une multitude d'objets paroissent se disputer ses regards, son ame sera assaillie de quantité de perceptions, dont il est constant qu'il prend connoissance; mais peu-à-peu quelques-unes lui plairont et l'intéresseront davantage : il s'y livrera donc plus volontiers. Dès-là il commencera à être moins affecté par les autres : la conscience en diminuera même insensiblement, jusqu'au point que, quand il reviendra à lui, il ne se souviendra pas d'en avoir pris connoissance. L'illusion qui se fait au theâtre en est la preuve. Il y a des momens où la conscience ne paroît pas se partager entre l'action qui se passe et le reste du spectacle. Il sembleroit d'abord que l'illusion devroit être d'autant plus vive, qu'il y auroit moins d'objets capables de distraire. Cependant chacun a pu remarquer qu'on n'est jamais plus porté à se croire le seul témoin d'une scène intéressante, que quand le spectacle est bien rempli. C'est peut-être que le nombre, la variété et la magnificence des objets remuent les sens, échauffent, élèvent l'imagination, et par-là nous rendent plus propres aux impressions que le poëte veut faire naître. Peut-être encore que les spectateurs se portent mutuellement, par l'exemple qu'ils se donnent, à fixer la vue sur la scène. Quoi qu'il en soit, cette opération par laquelle notre conscience, par rapport à certaines perceptions, augmente si vivement qu'elles paroissent les seules dont nous ayons pris connoissance, je l'appelle *attention*. Ainsi être attentif à une chose, c'est avoir plus conscience des perceptions qu'elle fait naître, que de celles que d'autres produisent, en agissant comme elle sur nos sens; et l'attention a été d'autant plus grande, qu'on se souvient moins de ces dernières.

§ 6. Je distingue donc de deux sortes de perceptions parmi celles dont nous avons conscience : les unes dont nous nous souvenons au moins le moment suivant, les autres que nous oublions aussi-tôt que nous les avons eues. Cette distinction est fondée sur l'expérience que je viens d'apporter. Quelqu'un qui s'est livré à l'illusion se souviendra fort bien de l'impression qu'a fait sur lui une scène vive et touchante, mais il ne se souviendra pas toujours de celle qu'il recevoit en même temps du reste du spectacle...

§ 9. Je pense donc que nous avons toujours conscience des impressions qui se font dans l'ame, mais quelquefois d'une manière si légère, qu'un moment après nous ne nous en souvenons plus. Quelques exemples mettront ma pensée dans tout son jour.

J'avouerai que pendant un temps il m'a semblé qu'il se passoit en nous des perceptions dont nous n'avons pas conscience. Je me fondois sur cette expérience qui paroît assez simple, que nous fermons des milliers de fois les yeux, sans que nous paroissions prendre connoissance que nous sommes dans les ténèbres; mais en faisant d'autres expériences, je découvris mon erreur. Certaines perceptions que je n'avois pas oubliées, et qui supposoient nécessairement que j'en avois eu d'autres dont je ne me souvenois plus un instant après les avoir eues, me firent changer de sentiment. Entre plusieurs expériences qu'on peut faire, en voici une qui est sensible.

Qu'on réfléchisse sur soi-même au sortir d'une lecture, il semblera qu'on n'a eu conscience que des idées qu'elle a fait naître.

Il ne paroîtra pas qu'on en ait eu davantage de la perception de chaque lettre, que de celle des ténèbres, à chaque fois qu'on baissoit involontairement la paupière : mais on ne se laissera pas tromper par cette apparence, si l'on fait réflexion que sans la conscience de la perception des lettres, on n'en auroit point eu de celle des mots, ni, par conséquent, des idées.

§ 10. Cette expérience conduit naturellement à rendre raison d'une chose dont chacun a fait l'épreuve. C'est la vitesse étonnante avec laquelle le temps paroît quelquefois s'être écoulé. Cette apparence vient de ce que nous avons oublié la plus considérable partie des perceptions qui se sont succédées dans notre ame. Locke fait voir que nous ne nous formons une idée de la succession du temps que par la succession de nos pensées. Or des perceptions, au moment qu'elles sont totalement oubliées, sont comme non-avenues. Leur succession doit donc être autant de retranché de celle du temps. Par conséquent, une durée assez considérable, des heures, par exemple, doivent nous paroître avoir passé comme des instans...

§ 14. Les choses attirent notre attention par le côté où elles ont le plus de rapport avec notre tempérament, nos passions et notre état. Ce sont ces rapports qui font qu'elles nous affectent avec plus de force, et que nous en avons une conscience plus vive. D'où il arrive que, quand ils viennent à changer, nous voyons les objets tout différemment, et nous en portons des jugemens tout-à-fait contraires. On est communément si fort la dupe de ces sortes de jugemens, que celui qui dans un temps voit et juge d'une manière, et dans un autre voit et juge tout autrement, croit toujours bien voir et bien juger; penchant qui nous devient si naturel, que, nous faisant toujours considérer les objets par les rapports qu'ils ont à nous, nous ne manquons pas de critiquer la conduite des autres autant que nous approuvons la nôtre. Joignez à cela que l'amour-propre nous persuade aisément que les choses ne sont louables qu'autant qu'elles ont attiré notre attention avec quelque satisfaction de notre part, et vous comprendrez pourquoi ceux même qui ont assez de discernement pour les apprécier, dispensent d'ordinaire si mal leur estime, que tantôt ils la refusent injustement, et tantôt ils la prodiguent.

§ 15. Lorque les objets attirent notre attention, les perceptions qu'ils occasionnent en nous se lient avec le sentiment de notre être et avec tout ce qui peut y avoir quelque rapport. De-là il arrive que non seulement la conscience nous donne connoissance de nos perceptions, mais encore, si elles se répètent, elle nous avertit souvent que nous les avons déjà eues, et nous les fait connoître comme étant à nous, ou comme affectant, malgré leur variété et leur succession, un être qui est constamment le même *nous*. La conscience, considérée par rapport à ces nouveaux effets, est une nouvelle opération qui nous sert à chaque instant et qui est le fondement de l'expérience. Sans elle chaque moment de la vie nous paroît le premier de notre existence, et notre connoissance ne s'étendroit jamais au-delà d'une première perception : je la nommerai *réminiscence*.

Il est évident que si la liaison qui est entre les perceptions que j'éprouve actuellement, celles que j'éprouvai hier, et le sentiment de mon être, étoit détruite, je ne saurois reconnoître que ce qui m'est arrivé hier, soit arrivé à moi-même. Si, à chaque nuit, cette liaison étoit interrompue, je commencerois, pour ainsi dire, chaque jour une nouvelle vie, et personne ne pourroit me convaincre que le *moi* d'aujourd'hui fût le *moi* de la veille. La réminiscence est donc produite par la liaison que conserve la suite de nos perceptions...

§ 16. Le progrès des opérations dont je viens de donner l'analyse et d'expliquer la génération, est sensible. D'abord il n'y a dans l'âme qu'une simple perception, qui n'est que l'impression qu'elle reçoit à la présence des objets : de-là naissent dans leur ordre les trois autres opérations. Cette impression, considérée comme avertissant l'ame de sa présence, est ce que j'appelle conscience. Si la connoissance qu'on en prend est telle qu'elle paroisse la seule perception dont on ait conscience, c'est attention. Enfin, quand elle se fait connoître comme ayant déjà affecté l'ame, c'est réminiscence. La conscience dit en quelque sorte à l'ame, voilà une perception : l'attention, voilà une perception qui est la seule que vous ayez : la réminiscence, voilà une perception que vous avez déjà eue.

Essai..., I, ii, 1, pp. 40-54.

4. L'IMAGINATION ET LA FOLIE

§ 80. En général les impressions que nous éprouvons dans différentes circonstances, nous font lier des idées que nous ne sommes plus maîtres de séparer. On ne peut, par exemple, fréquenter les hommes, qu'on ne lie insensiblement les idées de certains tours d'esprit et de certains caractères avec les figures qui se remarquent davantage. Voilà pourquoi les personnes qui ont de la physionomie, nous plaisent ou nous déplaisent plus que les autres : car la physionomie n'est qu'un assemblage de traits auxquels nous avons lié des idées, qui ne se réveillent point sans être accompagnées d'agrément ou de dégoût. Il ne faut donc pas s'étonner si nous sommes portés à juger les autres d'après leur physionomie, et si quelquefois nous sentons pour eux au premier abord de l'éloignement ou de l'inclination.

Par un effet de ces liaisons, nous nous prévenons souvent jusqu'à l'excès en faveur de certaines personnes, et nous sommes tout-à-fait injustes par rapport à d'autres. C'est que tout ce qui nous frappe dans nos amis, comme dans nos ennemis, se lie naturellement avec les sentimens agréables ou désagréables qu'ils nous font éprouver; et que, par conséquent, les défauts des uns empruntent toujours quelque agrément de ce que nous remarquons en eux de plus aimable, ainsi que les meilleures qualités des autres nous paroissent participer à leurs vices. Par-là ces liaisons influent infiniment sur toute notre conduite. Elles entretiennent notre amour ou notre haine, fomentent notre estime ou notre mépris, excitent notre reconnoissance ou notre ressentiment, et produisent ces sympathies, ces antipathies et tous ces penchans bizarres dont on a quelquefois tant de peine à se rendre raison. Je crois avoir lu quelque part que Descartes conserva toujours du goût pour les yeux louches, parce que la première personne qu'il avoit aimée, avoit ce défaut...

§ 83. Il n'y a, je pense, personne qui dans des momens de désœuvrement, n'imagine quelque roman dont il se fait le héros. Ces fictions, qu'on appelle des *châteaux en Espagne*, n'occasionnent pour

Rousseau, par Hart, d'après Latour

(*B. N. Estampes.*)

Diderot, gravé par Henriquez,
d'après Van Loo

l'ordinaire dans le cerveau que de légères impressions, parce qu'on s'y livre peu, et qu'elles sont bientôt dissipées par des objets plus réels, dont on est obligé de s'occuper. Mais qu'il survienne quelque sujet de tristesse, qui nous fasse éviter nos meilleurs amis, et prendre en dégoût tout ce qui nous a plu; alors, livrés à tout notre chagrin, notre roman favori sera la seule idée qui pourra nous en distraire. Les esprits animaux creuseront peu-à-peu à ce château des fondemens d'autant plus profonds, que rien n'en changera le cours : nous nous endormirons en le bâtissant, nous l'habiterons en songe; et enfin, quand l'impression des esprits sera insensiblement parvenue à être la même que si nous étions en effet ce que nous avons feint, nous prendrons, à notre réveil, toutes nos chimères pour des réalités. Il se peut que la folie de cet Athénien, qui croyoit que tous les vaisseaux qui entroient dans le Pirée étoient à lui, n'ait pas eu d'autres causes.

§ 84. Cette explication peut faire connoître combien la lecture des romans est dangereuse pour les jeunes personnes du sexe dont le cerveau est fort tendre. Leur esprit, que l'éducation occupe ordinairement trop peu, saisit avec avidité des fictions qui flattent des passions naturelles à leur âge. Elles y trouvent des matériaux pour les plus beaux châteaux en Espagne. Elles les mettent en œuvre avec d'autant plus de plaisir que l'envie de plaire, et les galanteries qu'on leur fait sans cesse, les entretiennent dans ce goût. Alors, il ne faut peut-être qu'un léger chagrin pour tourner la tête à une jeune fille, lui persuader qu'elle est Angélique, ou telle autre héroïne qui lui a plu, et lui faire prendre pour des Médors tous les hommes qui l'approchent.

§ 85. Il y a des ouvrages faits dans des vues biens différentes, qui peuvent avoir de pareils inconvénients. Je veux parler de certains livres de dévotion écrits par des imaginations fortes et contagieuses. Ils sont capables de tourner quelquefois le cerveau d'une femme, jusqu'à lui faire croire qu'elle a des visions, qu'elle s'entretient avec les anges, ou que même elle est déjà dans le ciel avec eux. Il seroit bien à souhaiter que les jeunes personnes des deux sexes fussent toujours éclairées dans ces sortes de lecture par des directeurs qui connoîtroient la trempe de leur imagination...

§ 87. Les impressions qui se font dans les cerveaux froids, s'y conservent longtemps. Ainsi les personnes, dont l'extérieur est posé et réfléchi, n'ont d'autre avantage, si c'en est un, que de garder constamment les mêmes travers. Par-là, leur folie, qu'on ne soupçonnoit pas au premier abord, n'en devient que plus aisée à reconnoître pour ceux qui les observent quelque temps. Au contraire, dans les cerveaux où il y a beaucoup de feu et beaucoup d'activité, les impressions s'effacent, se renouvellent, les folies se succèdent. A l'abord, on voit bien que l'esprit d'un homme a quelque travers, mais il en change avec tant de rapidité, qu'on peut à peine le remarquer.

§ 88. Le pouvoir de l'imagination est sans bornes. Elle diminue ou même dissipe nos peines, et peut seule donner aux plaisirs l'assaisonnement qui en fait tout le prix. Mais quelquefois c'est l'ennemi le plus cruel que nous ayons : elle augmente nos maux, nous en donne que nous n'avions pas, et finit par nous porter le poignard dans le sein.

Pour rendre raison de ces effets, je dis d'abord que, les sens agissant sur l'organe de l'imagination, cet organe réagit sur les sens. On ne le peut révoquer en doute : car l'expérience fait voir une pareille réaction dans les corps les moins élastiques. Je dis, en second lieu, que la réaction de cet organe est plus vive que l'action des sens; parce qu'il ne réagit pas sur eux avec la seule force que suppose la perception qu'ils ont produite, mais avec les forces réunies de toutes celles qui sont étroitement liées à cette perception, et qui, pour cette raison, n'ont pu manquer de se réveiller. Cela étant, il n'est pas difficile de comprendre les effets de l'imagination. Venons à des exemples.

La perception d'une douleur réveille dans mon imagination toutes les idées avec lesquelles elle a une liaison étroite. Je vois le danger, la frayeur me saisit, j'en suis abattu, mon corps résiste à peine, ma douleur devient plus vive, mon accablement augmente, et il se peut que, pour avoir eu l'imagination frappée, une maladie légère dans ses commencements me conduise au tombeau.

Un plaisir que j'ai recherché retrace également toutes les idées agréables auxquelles il peut être lié. L'imagination renvoie aux sens plusieurs perceptions pour une qu'elle reçoit. Mes esprits sont dans un mouvement qui dissipe tout ce qui pourroit m'enlever aux sentimens que j'éprouve. Dans cet état, tout entier aux perceptions que je reçois par les sens, et à celles que l'imagination reproduit, je goûte les plaisirs les plus vifs. Qu'on arrête l'action de mon imagination, je sors aussitôt comme d'un enchantement, j'ai sous les yeux les objets auxquels j'attribuois mon bonheur, je les cherche, et je ne les vois plus.

Par cette explication, on conçoit que les plaisirs de l'imagination sont tout aussi réels et tout aussi physiques que les autres, quoiqu'on dise communément le contraire. Je n'apporte plus qu'un exemple.

Un homme, tourmenté par la goutte et qui ne peut se soutenir, revoit au moment qu'il s'y attendait le moins, un fils qu'il croyoit perdu : plus de douleur. Un instant après le feu se met à la maison : plus de foiblesse. Il est déjà hors du danger, quand on songe à le secourir. Son imagination subitement et vivement frappée, réagit sur toutes les parties de son corps, et y produit la révolution qui le sauve.

Voilà, je pense, les effets les plus étonnans de l'imagination. Je vais, dans le chapitre suivant, dire un mot des agrémens qu'elle sait prêter à la vérité.

§ 89. L'imagination emprunte ses agrémens du droit qu'elle a de dérober à la nature ce qu'il y a de plus riant et de plus aimable, pour embellir le sujet qu'elle manie. Rien ne lui est étranger, tout lui devient propre, dès qu'elle en peut paroître avec plus d'éclat. C'est une abeille qui fait son trésor de tout ce qu'un parterre produit de plus belles fleurs. C'est une coquette, qui, uniquement occupée du désir de plaire, consulte plus son caprice que la raison. Toujours également complaisante, elle se prête à notre goût, à nos passions, à nos foiblesses; elle attire et persuade l'un par son air vif et agaçant, surprend et étonne l'autre par ses manières grandes et nobles. Tantôt elle amuse par des propos rians, d'autres fois elle ravit par la hardiesse de ses saillies. Là, elle affecte la douceur pour intéresser; ici, la langueur et les larmes pour toucher; et, s'il le faut, elle prendra bientôt le masque, pour exciter des ris. Bien assurée de son empire, elle exerce son caprice sur tout. Elle se plaît quelquefois à donner de la grandeur aux choses les plus communes et les plus triviales, et d'autre fois à rendre basses et ridicules les plus sérieuses et les plus sublimes. Quoiqu'elle altère tout ce qu'elle touche, elle réussit souvent, lorsqu'elle ne cherche qu'à plaire; mais hors de là, elle ne peut qu'échouer. Son empire finit où celui de l'analyse commence.

Essai..., I, II, IX, X, pp. 124-136.

5. LES CHAINES D'IDÉES

§ 28. La liaison de plusieurs idées ne peut avoir d'autre cause que l'attention que nous leur avons donnée, quand elles se sont présentées ensemble : ainsi les choses n'attirant notre attention que par le rapport qu'elles ont à notre tempérament, à nos passions, à notre état, ou pour tout dire en un mot, à nos besoins; c'est une conséquence que la même attention embrasse tout-à-la fois les idées des besoins et celles des choses qui s'y rapportent, et qu'elle les lie.

§ 29. Tous nos besoins tiennent les uns aux autres, et l'on en pourroit considérer les perceptions comme une suite d'idées fondamentales, auxquelles on rapporteroit tout ce qui fait partie de nos connoissances. Au-dessus de chacune s'élèveroient d'autres suites d'idées qui formeroient des espèces de chaînes dont la force seroit entièrement dans l'analogie des signes, dans l'ordre des perceptions et dans la liaison que les circonstances, qui réunissent quelquefois les idées les plus disparates, auroient formée. A un besoin est liée l'idée de la chose qui est propre à le soulager; à cette idée est liée celle du lieu où cette chose se rencontre; à celle-ci celle des personnes qu'on y a vues; à cette dernière, les idées des plaisirs ou des chagrins qu'on en a reçus, et plusieurs autres. On peut même remarquer qu'à mesure que la chaîne s'étend, elle se soudivise en différens chaînons; ensorte que, plus on s'éloigne du premier anneau, plus les chaînons s'y multiplient. Une première idée fondamentale est liée à deux ou trois autres; chacune de celles-ci à un égal nombre, ou même à un plus grand, et ainsi de suite.

§ 30. Les différentes chaînes ou chaînons que je suppose au-dessus de chaque idée fondamentale, seroient liés par la suite des idées fondamentales et par quelques anneaux qui seroient vraisemblablement communs à plusieurs; car les mêmes objets, et par conséquent les mêmes idées, se rapportent souvent à différens besoins. Ainsi de toutes nos connoissances il ne se formeroit qu'une seule et même chaîne, dont les chaînons se réuniroient à certains anneaux, pour se séparer à d'autres.

§ 31. Ces suppositions admises, il suffiroit, pour se rappeler les idées qu'on s'est rendues familières, de pouvoir donner son attention à quelques-unes de nos idées fondamentales auxquelles elles sont liées. Or cela se peut toujours, puisque, tant que nous veillons, il n'y a point d'instant où notre tempérament, nos passions et notre état n'occasionnent en nous quelques-unes de ces perceptions que j'appelle fondamentales. Nous réussirions donc avec plus ou moins de facilité, à proportion que les idées que nous voudrions nous retracer, tiendroient à un plus grand nombre de besoins et y tiendroient plus immédiatement.

§ 32. Les suppositions que je viens de faire ne sont pas gratuites : j'en appelle à l'expérience, et je suis persuadé que chacun remarquera qu'il ne cherche à se ressouvenir d'une chose, que par le rapport qu'elle a aux circonstances où il se trouve, et qu'il y réussit d'autant plus facilement que les circonstances sont en grand nombre, ou qu'elles ont avec elle une liaison plus immédiate. L'attention que nous donnons à une perception qui nous affecte actuellement, nous en rappelle le signe : celui-ci en rappelle d'autres avec lesquels il a quelque rapport : ces derniers réveillent les idées auxquelles ils sont liés : ces idées retracent d'autres signes ou d'autres idées, et ainsi successivement. Deux amis, par exemple, qui ne se sont pas vus depuis longtemps, se rencontrent. L'attention qu'ils donnent à la surprise et à la joie qu'ils ressentent leur fait naître aussitôt le langage qu'ils doivent se tenir. Ils se plaignent de la longue absence où ils ont été l'un de l'autre; s'entretiennent des plaisirs dont, auparavant, ils jouissoient ensemble, et de tout ce qui leur est arrivé depuis leur séparation. On voit facilement comment toutes ces choses sont liées entre elles et à beaucoup d'autres. Voici encore un exemple.

Je suppose que quelqu'un me fait sur cet ouvrage une difficulté à laquelle je ne sais dans le moment de quelle manière satisfaire; il est certain que si elle n'est pas solide, elle doit elle-même m'indiquer ma réponse. Je m'applique donc à en considérer toutes les parties, et j'en trouve qui, étant liées avec quelques-unes des idées qui entrent dans la solution que je cherche, ne manquent pas de les réveiller. Celles-ci, par l'étroite liaison qu'elles ont avec les autres, les retracent successivement; et je vois enfin tout ce que j'ai à répondre.

D'autres exemples se présenteront en quantité à ceux qui voudront remarquer ce qui arrive dans les cercles. Avec quelque rapidité que la conversation change de sujet, celui qui conserve son sang-froid, et qui connoît un peu le caractère de ceux qui parlent, voit toujours par quelle liaison d'idées on passe d'une matière à une autre. Je me crois donc en droit de conclure que le pouvoir de réveiller nos perceptions, leurs noms, ou leurs circonstances, vient uniquement de la liaison que l'attention a mise entre ces choses, et les besoins auxquels elles se rapportent. Détruisez cette liaison, vous détruisez l'imagination et la mémoire.

§ 33. Tous les hommes ne peuvent pas lier leurs idées avec une égale force, ni dans une égale quantité : voilà pourquoi l'imagination et la mémoire ne les servent pas tous également. Cette impuissance vient de la différente conformation des organes, ou peut-être encore de la nature de l'ame; ainsi les raisons qu'on en pourroit donner sont toutes physiques, et n'appartiennent pas à cet ouvrage. Je remarquerai seulement que les organes ne sont quelquefois peu propres à la liaison des idées, que pour n'avoir pas été assez exercés.

§ 34. Le pouvoir de lier nos idées a ses inconvéniens, comme ses avantages. Pour les faire apercevoir sensiblement, je suppose deux hommes; l'un, chez qui les idées n'ont jamais pu se lier; l'autre, chez qui elles se lient avec tant de facilité et tant de force, qu'il n'est plus le maître de les séparer. Le premier seroit sans imagination et sans mémoire, et n'auroit, par conséquent, l'exercice d'aucune des opérations que celles-ci doivent produire. Il seroit absolument incapable de réflexion; ce seroit un imbécille. Le second auroit trop de mémoire et trop d'imagination, et cet excès produiroit presque le même effet qu'une entière privation de l'une et de l'autre. Il auroit à peine l'exercice de sa réflexion, ce serait un fou. Les idées les plus disparates étant fortement liées dans son esprit, par la seule raison qu'elles se sont présentées ensemble, il les jugeroit naturellement liées entre elles, et les mettroit les uns à la suite des autres comme de justes conséquences.

Entre ces deux excès on pourroit supposer un milieu, où le trop d'imagination et de mémoire ne nuiroit pas à la solidité de l'esprit, et le trop peu ne nuiroit pas à ses agrémens. Peut-être ce milieu est-il si difficile que les grands génies ne s'y sont encore trouvés qu'à-peu-près.

Essai..., I, ii, iii, pp. 67-73.

6. LE POUVOIR DE LA RÉFLEXION

... § 47. Aussi-tôt que la mémoire est formée, et que l'exercice de l'imagination est à notre pouvoir, les signes que celle-là rappelle, et les idées que celle-ci réveille, commencent à retirer l'âme de la dépendance où elle étoit de tous les objets qui agissoient sur elle. Maîtresse de se rappeler les choses qu'elle a vues, elle y peut porter son attention, et la détourner de celles qu'elle voit. Elle peut ensuite la rendre à celle-ci, ou seulement à quelques-unes, et la donner alternativement aux unes et aux autres. A la vue d'un tableau, par exemple, nous nous rappelons les connoissances que nous avons de la nature, et des règles qui apprennent à l'imiter; et nous portons notre attention successivement de ce tableau à ces connoissances, et de ces connoissances à ce tableau, ou tour à tour à ses différentes parties. Mais il est évident que nous ne disposons ainsi de notre attention que par le secours que nous prête l'activité de l'imagination, produite par une grande mémoire. Sans cela nous ne la réglerions pas nous-mêmes, mais elle obéiroit uniquement à l'action des objets.

§ 48. Cette manière d'appliquer de nous-mêmes notre attention tour-à-tour à divers objets, ou aux différentes parties d'un seul, c'est ce qu'on appelle *réfléchir*. Ainsi on voit sensiblement comment la réflexion naît de l'imagination et de la mémoire. Mais il y a des progrès qu'il ne faut pas laisser échapper.

§ 49. Un commencement de mémoire suffit pour commencer à nous rendre maîtres de l'exercice de notre imagination. C'est assez d'un seul signe arbitraire pour pouvoir réveiller de soi-même une idée; et c'est-là certainement le premier et le moindre degré de la mémoire et de la puissance qu'on peut acquérir sur son imagination. Le pouvoir qu'il nous donne de disposer de notre attention, est le plus foible qu'il soit possible. Mais tel qu'il est, il commence à faire sentir l'avantage des signes; et, par conséquent, il est propre à faire saisir au moins quelqu'une des occasions où il peut être utile ou nécessaire d'en inventer de nouveaux. Par ce moyen il augmentera l'exercice de la mémoire et de l'imagination; dès-lors la réflexion pourra aussi en avoir davantage; et réagissant sur l'imagination et la mémoire qui l'ont produite, elle leur donnera à son tour un nouvel exercice. Ainsi, par les secours mutuels que ces opérations se prêteront, elles concourront réciproquement à leurs progrès...

§ 51. C'est à la réflexion que nous commençons à entrevoir tout ce dont l'âme est capable. Tant qu'on ne dirige point soi-même son attention, nous avons vu que l'âme est assujettie à tout ce qui l'environne, et ne possède rien que par une vertu étrangère. Mais si, maître de son attention, on la guide selon ses désirs, l'âme alors dispose d'elle-même, en tire des idées qu'elle ne doit qu'à elle, et s'enrichit de son propre fonds.

L'effet de cette opération est d'autant plus grand que par elle nous disposons de nos perceptions, à-peu-près comme si nous avions le pouvoir de les produire et de les anéantir. Que, parmi celles que j'éprouve actuellement, j'en choisisse une, aussitôt la conscience en est si vive et celle des autres si foible, qu'il me paroîtra qu'elle est la seule dont j'aie pris connoissance; qu'un instant après je veuille l'abandonner pour m'occuper principalement d'une de celles qui m'affectoient le plus légèrement, elle me paroîtra rentrer dans le néant, tandis qu'une autre m'en paroîtra sortir. La conscience de la première,

pour parler moins figurément, deviendra si foible, et celle de la seconde si vive, qu'il me semblera que je ne les ai éprouvées que l'une
après l'autre. On peut faire cette expérience en considérant un objet
fort composé. Il n'est pas douteux qu'on n'ait en même temps conscience de toutes les perceptions que ses différentes parties, disposées
pour agir sur les sens, font naître. Mais on diroit que la réflexion
suspend à son gré les impressions qui se font dans l'âme, pour n'en
conserver qu'une seule...

Essai..., I, ii, v, pp. 88-93.

§ 73. Ces analyses nous conduisent à avoir de l'entendement une
idée plus exacte que celle qu'on s'en fait communément. On le regarde comme une faculté différente de nos connoissances, et comme
le lieu où elles viennent se réunir. Cependant je crois que, pour parler avec plus de clarté, il faut dire que l'entendement n'est que la
collection ou la combinaison des opérations de l'âme. Apercevoir
ou avoir conscience, donner son attention, reconnoître, imaginer, se
ressouvenir, réfléchir, distinguer ses idées, les abstraire, les comparer, les composer, les décomposer, les analyser, affirmer, nier, juger,
raisonner, concevoir : voilà l'entendement.

§ 74. Je me suis attaché dans ces analyses à faire voir la dépendance des opérations de l'âme, et comment elles s'engendrent toutes
de la première. Nous commençons par éprouver des perceptions dont
nous avons conscience. Nous formons-nous ensuite une conscience plus
vive de quelques perceptions, cette conscience devient attention. Dès
lors, les idées se lient, nous reconnoissons en conséquence les perceptions que nous avons eues, et nous nous reconnoissons pour le
même être qui les a eues : ce qui constitue la réminiscence. L'âme
réveille-t-elle ses perceptions, les conserve-t-elle, ou en rappelle-
t-elle seulement les signes ? c'est imagination, contemplation, mémoire; et si elle dispose elle-même de son attention, c'est réflexion.
Enfin, de celle-ci naissent toutes les autres. C'est proprement la réflexion qui distingue, compare, compose, décompose et analyse; puisque ce ne sont-là que différentes manières de conduire l'attention.
De là se forment, par une suite naturelle, le jugement, le raisonnement, la conception; et résulte l'entendement.

Essai..., I, ii, viii, pp. 116-117.

§ 92. De toutes les opérations que nous avons décrites, il en résulte une qui, pour ainsi dire, couronne l'entendement : c'est la raison. Quelque idée qu'on s'en fasse, tout le monde convient que ce n'est que par elle qu'on peut se conduire sagement dans les affaires civiles, et faire des progrès dans la recherche de la vérité. Il en faut conclure qu'elle n'est autre chose que la connoissance de la manière dont nous devons régler les opérations de notre ame.

Essai, I, II, XI, p. 139.

7. LE ROLE DES SIGNES

§ 1. L'arithmétique fournit un exemple bien sensible de la nécessité des signes. Si, après avoir donné un nom à l'unité, nous n'en imaginions pas successivement pour toutes les idées que nous formons par la multiplication de cette première, il nous seroit impossible de faire aucun progrès dans la connoissance des nombres. Nous ne discernons différentes collections que parce que nous avons des chiffres qui sont eux-mêmes fort distincts. Otons ces chiffres, ôtons tous les signes en usage, et nous nous apercevrons qu'il nous est impossible d'en conserver les idées. Peut-on seulement se faire la notion du plus petit nombre, si l'on ne considère pas plusieurs objets dont chacun soit comme le signe auquel on attache l'unité ? Pour moi, je n'aperçois les nombreux *deux* ou *trois,* qu'autant que je me représente deux ou trois objets différens. Si je passe au nombre *quatre*, je suis obligé, pour plus de facilité, d'imaginer deux objets d'un côté et deux de l'autre : à celui de *six*, je ne puis me dispenser de les distribuer deux à deux, ou trois à trois; et si je veux aller plus loin, il me faudra bientôt considérer plusieurs unités comme une seule, et les réunir pour cet effet à un seul objet.

§ 2. Locke parle de quelques Américains qui n'avoient point d'idée du nombre mille, parce qu'en effet ils n'avoient imaginé des noms que pour compter jusqu'à vingt. J'ajoute qu'ils auroient eu quelque difficulté à s'en faire du nombre vingt et un. En voici la raison.

Par la nature de notre calcul, il suffit d'avoir des idées des premiers nombres pour être en état de s'en faire de tous ceux qu'on peut déterminer. C'est que les premiers signes étant donnés, nous avons des règles pour en inventer d'autres. Ceux qui ignoreroient cette méthode, au point d'être obligés d'attacher chaque collection à des signes qui n'auroient point d'analogie entre eux, n'auroient aucun secours pour se guider dans l'invention des signes. Ils n'auroient donc pas la même facilité que nous pour se faire de nouvelles idées. Tel étoit vraisemblablement le cas de ces Américains. Ainsi, non seulement ils n'avoient point d'idée du nombre mille, mais même il ne leur étoit pas aisé de s'en faire immédiatement au-dessus de vingt.

§ 3. Le progrès de nos connoissances dans les nombres, vient donc uniquement de l'exactitude avec laquelle nous avons ajouté l'unité à elle-même, en donnant à chaque progression un nom qui la fait distinguer de celle qui la précède et de celle qui la suit. Je sais que cent est supérieur d'une unité à quatre-vingt-dix-neuf, et inférieur d'une unité à cent un, parce que je me souviens que ce sont là trois signes que j'ai choisis pour désigner trois nombres qui se suivent...

§ 7. Il y a deux cas où nous rassemblons des idées simples sous un seul signe : nous le faisons sur des modèles, ou sans modèles.
Je trouve un corps, et je vois qu'il est étendu, figuré, divisible, solide, dur, capable de mouvement et de repos, jaune, fusible, ductile, malléable, fort pesant, fixe, qu'il a la capacité d'être dissous dans l'eau régale, etc. Il est certain que si je ne puis pas donner tout à la fois à quelqu'un une idée de toutes ces qualités, je ne saurois me les rappeler à moi-même qu'en les faisant passer en revue devant mon esprit; mais si, ne pouvant les embrasser toutes ensemble, je voulois ne penser qu'à une seule, par exemple, à sa couleur, une idée aussi incomplète me seroit inutile, et me feroit souvent confondre ce corps avec ceux qui lui ressemblent par cet endroit. Pour sortir de cet embarras, j'invente le mot *or*, et je m'accoutume à lui attacher toutes les idées dont j'ai fait le dénombrement. Quand, par la suite, je penserai à la notion de l'or, je n'apercevrai donc que ce son, *or*, et le souvenir d'y avoir lié une certaine quantité d'idées

simples, que je ne puis réveiller tout à la fois, mais que j'ai vu co-exister dans un même sujet, et que je me rappellerai les unes après les autres, quand je le souhaiterai.

Nous ne pouvons donc réfléchir sur les substances qu'autant que nous avons des signes qui déterminent le nombre et la variété des propriétés que nous y avons remarquées et que nous voulons réunir dans des idées complexes, comme elles le sont hors de nous dans des sujets. Qu'on oublie, pour un moment, tous ces signes, et qu'on essaie d'en rappeler les idées, on verra que les mots, ou d'autres signes équivalens, sont d'une si grande nécessité, qu'ils tiennent, pour ainsi dire, dans notre esprit la place que les sujets occupent au dehors. Comme les qualités des choses ne co-existeroient pas hors de nous sans des sujets où elles se réunissent, leurs idées ne co-existeroient pas dans notre esprit sans des signes où elles se réunissent également.

§ 8. La nécessité des signes est encore bien sensible dans les idées complexes que nous formons sans modèle. Quand nous avons rassemblé des idées que nous ne voyons nulle part réunies, comme il arrive ordinairement dans les notions archétypes; qu'est-ce qui en fixeroit les collections, si nous ne les attachions à des mots qui sont comme des liens qui les empêchent de s'échapper ? Si vous croyez que les noms vous soient inutiles, arrachez-les de votre mémoire, et essayez de réfléchir sur les lois civiles et morales, sur les vertus et les vices, enfin sur toutes les actions humaines, vous reconnoîtrez votre erreur. Vous avouerez que si, à chaque combinaison que vous faites, vous n'avez pas des signes pour déterminer le nombre d'idées simples que vous avez voulu recueillir, à peine aurez-vous fait un pas que vous n'apercevrez plus qu'un chaos. Vous serez dans le même embarras que celui qui voudroit calculer en disant plusieurs fois, un, un, un, et qui ne voudroit pas imaginer des signes pour chaque collection. Cet homme ne se feroit jamais l'idée d'une vingtaine, parce que rien ne pourroit l'assurer qu'il en auroit exactement répété toutes les unités.

§ 9. Concluons que, pour avoir des idées sur lesquelles nous puissions réfléchir, nous avons besoin d'imaginer des signes qui servent de lien aux différentes collections d'idées simples, et que nos notions ne sont exactes qu'autant que nous avons inventé avec ordre les signes qui doivent les fixer.

Essai..., I, ɪv, 1, pp. 173-183.

8. LA MUSIQUE ET LA POÉSIE

§ 72. On voit sensiblement quel était l'objet des premières poésies. Dans l'établissement des sociétés, les hommes ne pouvoient point encore s'occuper des choses de pur agrément, et les besoins qui les obligeoient de se réunir bornoient leurs vues à ce qui pouvoit leur être utile ou nécessaire. La poésie et la musique ne furent donc cultivées que pour faire connaître la religion, les lois, et pour conserver le souvenir des grands hommes et des services qu'ils avoient rendus à la société. Rien n'y étoit plus propre, ou plutôt c'étoit le seul moyen dont on pût se servir, puisque l'écriture n'étoit pas encore connue. Aussi tous les monuments de l'antiquité prouvent-ils que ces arts, à leur naissance, ont été destinés à l'instruction des peuples. Les Gaulois et les Germains s'en servoient pour conserver leur histoire et leurs lois; et chez les Egyptiens et les Hébreux, ils faisoient, en quelque sorte, partie de la religion. Voilà pourquoi les anciens vouloient que l'éducation eût pour principal objet l'étude de la musique : je prends ce terme dans toute l'étendue qu'ils lui donnoient. Les Romains jugeoient la musique nécessaire à tous les âges, parce qu'ils trouvoient qu'elle enseignoit ce que les enfans devoient apprendre, et ce que les personnes faites devoient savoir. Quant aux Grecs, il leur paroissoit si honteux de l'ignorer, qu'un musicien et un savant étoient pour eux la même chose, et qu'un ignorant étoit désigné, dans leur langue, par le nom d'un homme qui ne sait pas la musique. Ce peuple ne se persuadoit pas que cet art fût de l'invention des hommes, et il croyoit tenir des Dieux les instruments qui l'étonnoient davantage. Ayant plus d'imagination que nous, il étoit plus sensible à l'harmonie : d'ailleurs, la vénération qu'il avoit pour les lois, pour la religion et pour les grands hommes qu'il célébroit dans ses chants, passa à la musique qui conservoit la tradition de ces choses.

§ 73. La prosodie et le style étant devenus plus simples, la prose s'éloigna de plus en plus de la poésie. D'un autre côté, l'esprit fit des progrès, la poésie en parut avec des images plus neuves; par ce moyen elle s'éloigna aussi du langage ordinaire, fut moins à la portée du peuple et devint moins propre à l'instruction.

D'ailleurs les faits, les lois et toutes les choses, dont il falloit que les hommes eussent connoissance, se multiplièrent si fort, que la mémoire étoit trop foible pour un pareil fardeau; les sociétés s'agrandirent au point que la promulgation des lois ne pouvoit parvenir que difficilement à tous les citoyens. Il fallut donc, pour instruire le peuple, avoir recours à quelque nouvelle voie. C'est alors qu'on imagina l'écriture : j'exposerai plus bas quels en furent les progrès.

A la naissance de ce nouvel art, la poésie et la musique commencèrent à changer d'objet : elles se partagèrent entre l'utile et l'agréable, et enfin se bornèrent presque aux choses de pur agrément. Moins elles devinrent nécessaires, plus elles cherchèrent les occasions de plaire davantage, et elles firent l'une et l'autre des progrès considérables.

La musique et la poésie, jusques-là inséparables, commencèrent, quand elles se furent perfectionnées, à se diviser en deux arts différens; mais on cria à l'abus contre ceux qui, les premiers, hasardèrent de les séparer. Les effets qu'elles pouvoient produire, sans se prêter des secours mutuels, n'étoient pas encore assez sensibles, on ne prévoyoit pas ce qui devoit leur arriver, et d'ailleurs ce nouvel usage étoit trop contraire à la coutume. On en appeloit, comme nous aurions fait, à l'antiquité, qui ne les avoit jamais employées l'une sans l'autre; et l'on concluoit que des airs sans paroles, ou des vers pour n'être point chantés, étoient quelque chose de trop bizarre pour avoir jamais du succès; mais quand l'expérience eut prouvé le contraire, les philosophes commencèrent à craindre que ces arts n'énervassent le mœurs. Ils s'opposèrent à leurs progrès, et citèrent aussi l'antiquité qui n'en avoit jamais fait usage pour des choses de pur agrément. Ce n'est donc point sans avoir eu bien des obstacles à surmonter que la musique et la poésie ont changé d'objets et ont été distinguées en deux arts...

§ 75. L'objet des premières poésies nous indique quel en étoit le caractère. Il est vraisemblable qu'elles ne chantoient la religion, les lois et les héros, que pour réveiller, dans les citoyens, des sentimens d'amour, d'admiration et d'émulation. C'étoient des pseaumes, des cantiques, des odes et des chansons. Quant aux poèmes épiques et dramatiques, ils ont été connus plus tard. L'invention en est due aux Grecs, et l'histoire en a été faite si souvent que personne ne l'ignore.

§ 76. On peut juger du style des premières poésies par le génie des premières langues.

En premier lieu, l'usage de sous-entendre des mots y étoit fort fréquent. L'hébreu en est la preuve; mais en voici la raison :

La coutume, introduite par la nécessité, de mêler ensemble le langage d'action et celui des sons articulés, subsista encore longtemps après que cette nécessité eut cessé, surtout chez les peuples dont l'imagination étoit plus vive, tels que les Orientaux. Cela fut cause que, dans la nouveauté d'un mot, on s'entendoit également bien en ne l'employant pas comme en l'employant. On l'omettoit donc volontiers pour exprimer plus vivement sa pensée, ou pour la renfermer dans la mesure d'un vers. Cette licence étoit d'autant plus tolérée, que la poésie, étant faite pour être chantée, et ne pouvant encore être écrite, le ton et le geste suppléoient au mot qu'on avoit omis. Mais quand, par une longue habitude, un nom fut devenu le signe le plus naturel d'une idée, il ne fut pas aisé d'y suppléer. C'est pourquoi, en descendant des langues anciennes aux plus modernes, on s'apercevra que l'usage de sous-entendre des mots est de moins en moins reçu. Notre langue le rejette même si fort, qu'on diroit quelquefois qu'elle se méfie de notre pénétration.

§ 77. En second lieu, l'exactitude et la précision ne pouvoient être connues des premiers poètes. Ainsi, pour remplir la mesure des vers, on y inséroit souvent des mots inutiles, où l'on répétoit la même chose de plusieurs manières : nouvelle raison des pléonasmes fréquens dans les langues anciennes.

§ 78. Enfin, la poésie étoit extrêmement figurée et métaphorique; car on assure que, dans les langues orientales, la prose même souffre des figures que la poésie des latins n'emploie que rarement. C'est donc chez les poëtes Orientaux que l'enthousiasme produisoit les plus grands désordres : c'est chez eux que les passions se montroient avec des couleurs qui nous paroîtroient exagérées. Je ne sais cependant si nous serions en droit de les blâmer. Ils ne sentoient pas les choses comme nous : ainsi ils ne devoient pas les exprimer de la même manière. Pour apprécier leurs ouvrages, il faudroit considérer le tempérament des nations pour lesquelles ils ont écrit. On parle beaucoup de la belle nature; il n'y a pas même de peuple poli qui ne se pique de l'imiter; mais chacun croit en trouver le modèle dans sa manière de sentir. Qu'on ne s'étonne pas si on a tant de peine à la reconnoître, elle change trop souvent de visage, ou du moins elle prend trop l'air de chaque pays. Je ne sais même si la façon dont j'en parle actuellement, ne se sent pas un peu du ton qu'elle prend, depuis quelque temps en France.

§ 79. Le style poétique et le langage ordinaire, en s'éloignant l'un de l'autre, laissèrent entre eux un milieu où l'éloquence prit son origine, et d'où elle s'écarta pour se rapprocher tantôt du ton de la poésie, tantôt de celui de la conversation. Elle ne diffère de celui-ci, que parce qu'elle rejette toutes les expressions qui ne sont pas assez nobles, et de celui-là, que parce qu'elle n'est pas assujettie à la même mesure, et que, selon le caractère des langues, on ne lui permet pas certaines figures et certains tours qu'on souffre dans la poésie. D'ailleurs, ces deux arts se confondent quelquefois si fort, qu'il n'est plus possible de les distinguer.

Essai..., II, I, VIII, pp. 352-361.

9. LE GÉNIE DES LANGUES

§ 143. Ainsi que le gouvernement influe sur le caractère des peuples, le caractère des peuples influe sur celui des langues. Il est naturel que les hommes, toujours pressés par des besoins et agités par quelque passion, ne parlent pas des choses sans faire connoître l'intérêt qu'il y prennent. Il faut qu'ils attachent insensiblement aux mots des idées accessoires qui marquent la manière dont ils sont affectés, et les jugemens qu'ils portent. C'est une observation facile à faire; car il n'y a presque personne dont les discours ne décèlent enfin le vrai caractère, même dans ces momens où l'on apporte le plus de précaution à se cacher. Il ne faut qu'étudier un homme quelque temps pour apprendre son langage : je dis *son langage*, car chacun a le sien, selon ses passions : je n'excepte que les hommes froids et flegmatiques; ils se conforment plus aisément à celui des autres, et sont par cette raison plus difficiles à pénétrer.

Le caractère des peuples se montre encore plus ouvertement que celui des particuliers. Une multitude ne sauroit agir de concert pour cacher ses passions. D'ailleurs nous ne songeons pas à faire un mystère de nos goûts, quand ils sont communs à nos compatriotes. Au contraire, nous en tirons vanité, et nous aimons qu'ils fassent reconnoître un pays qui nous a donné la naissance, et pour lequel nous sommes toujours prévenus. Tout confirme donc que chaque langue exprime le caractère du peuple qui la parle.

§ 144. Dans le latin, par exemple, les termes d'agriculture emportent des idées de noblesse qu'ils n'ont point dans notre langue : la raison en est bien sensible. Quand les Romains jetèrent les fondemens de leur empire, ils ne connoissoient encore que les arts les plus nécessaires. Ils les estimèrent d'autant plus, qu'il étoit également essentiel à chaque membre de la république de s'en occuper; et l'on s'accoutuma de bonne heure à regarder du même œil l'agriculture et le général qui la cultivoit. Par-là les termes de cet art s'approprièrent les idées accessoires qui les ont annoblis. Ils les conservèrent encore quand la république romaine donnoit dans le plus grand luxe, parce que le caractère d'une langue, surtout s'il est fixé par des écrivains célèbres, ne change pas aussi facilement que les mœurs d'un peuple. Chez nous les dispositions d'esprit ont été toutes différentes dès l'établissement de la monarchie. L'estime des Francs pour l'art militaire, auquel ils devoient un puissant empire, ne pouvoit que leur faire mépriser des arts qu'ils n'étoient pas obligés de cultiver par eux-mêmes, et dont ils abandonnoient le soin à des esclaves. Dès lors les idées accessoires qu'on attacha aux termes d'agriculture durent être bien différentes de celles qu'ils avoient dans la langue latine...

§ 149. Il faut remarquer que, dans une langue qui n'est pas formée des débris de plusieurs autres, les progrès doivent être beaucoup plus prompts, parce qu'elle a, dès son origine, un caractère : c'est pourquoi les Grecs ont eu, de bonne heure, d'excellents écrivains.

§ 150. Faisons naître un homme parfaitement bien organisé parmi des peuples encore barbares, quoique habitans d'un climat favorable aux arts et aux sciences; je conçois qu'il peut acquérir assez d'esprit pour devenir un génie par rapport à ces peuples, mais on voit évidemment qu'il lui est impossible d'égaler quelques-uns des hommes supérieurs du siècle de Louis XIV. La chose, présentée dans ce point de vue, est si sensible qu'on ne sauroit la révoquer en doute.

Si la langue de ces peuples grossiers est un obstacle aux progrès de l'esprit, donnons-lui un degré de perfection, donnons-lui-en deux, trois, quatre; l'obstacle subsistera encore, et ne peut diminuer qu'à proportion des degrés qui y auront été ajoutés. Il ne sera donc entièrement levé que quand cette langue aura acquis à peu près autant de degrés de perfection que la nôtre en avoit quand elle a commencé à former de bons écrivains. Il est, par conséquent, démontré que les nations ne peuvent avoir des génies supérieurs qu'après que les langues ont déjà fait des progrès considérables...

§ 152. Quand un génie a découvert le caractère d'une langue, il l'exprime vivement et le soutient dans tous ses écrits. Avec ce secours, le reste des gens à talens, qui auparavant n'eussent pas été capables de le pénétrer d'eux-mêmes, l'aperçoivent sensiblement, et l'expriment à son exemple, chacun dans son genre. La langue s'enrichit peu à peu de quantité de nouveaux tours qui, par le rapport qu'ils ont à son caractère, le développent de plus en plus; et l'analogie devient comme un flambeau dont la lumière augmente sans cesse pour éclairer un plus grand nombre d'écrivains. Alors tout le monde tourne naturellement les yeux sur ceux qui se distinguent : leur goût devient le goût dominant de la nation : chacun apporte, dans les matières auxquelles il s'applique, le discernement qu'il a puisé chez eux : les talens fermentent : tous les arts prennent le caractère qui leur est propre, et l'on voit des hommes supérieurs dans tous les genres. C'est ainsi que les grands talens, de quelque espèce qu'ils soient, ne se montrent qu'après que le langage a déjà fait des progrès considérables. Cela est si vrai que, quoique les circonstances favorables à l'art militaire et au gouvernement soient les plus fréquentes, les généraux et les ministres du premier ordre appartiennent cependant au siècle des grands écrivains. Telle est l'influence des gens de lettres dans l'Etat; il me semble qu'on n'en avoit point encore connu toute l'étendue.

§ 153. Si les grands talens doivent leur développement aux progrès sensibles que le langage a faits avant eux, le langage doit à son tour aux talens de nouveaux progrès qui l'élèvent à son dernier période : c'est ce que je vais expliquer.

Quoique les grands hommes tiennent par quelque endroit au caractère de leur nation, ils ont toujours quelque chose qui les en distingue. Ils voient et sentent d'une manière qui leur est propre; et, pour exprimer leur manière de voir et de sentir, ils sont obligés d'imaginer de nouveaux tours dans les règles de l'analogie, ou du moins en s'en écartant aussi peu qu'il est possible. Par là ils se conforment au génie de leur langue, et lui prêtent en même temps le leur. Corneille développe les intérêts des grands, la politique des ambitieux et tous les mouvemens de l'âme avec une noblesse et avec une force qui ne sont qu'à lui. Racine, avec une douceur et avec une élégance qui caractérisent les petites passions, exprime l'amour, ses craintes et ses emportemens. La mollesse conduit le pinceau avec lequel Quinault peint les plaisirs et la volupté : et plusieurs autres écrivains qui ne sont plus, ou qui se distinguent parmi les modernes, ont chacun un caractère que notre langue s'est peu à peu rendu propre. C'est aux poètes que nous avons les premières et peut-être aussi les plus grandes obligations. Assujétis à des règles qui les gênent, leur imagination fait de plus grands efforts et produit nécessairement de nouveaux tours. Aussi les progrès subits du langage sont-ils toujours l'époque de quelque grand poëte. Les philosophes ne le perfectionnent que long-temps après. Ils ont achevé de donner au nôtre cette exactitude et cette netteté qui font son principal caractère, et qui, nous fournissant les signes les plus commodes pour analyser nos idées, nous rendent capables d'apercevoir ce qu'il y a de plus fin dans chaque objet...

§ 156. L'analyse et l'imagination sont deux opérations si différentes qu'elles mettent ordinairement des obstacles aux progrès l'une de l'autre. Il n'y a que dans un certain tempérament qu'elles puissent se prêter mutuellement des secours sans se nuire; et ce tempérament est ce milieu dont j'ai déjà eu occasion de parler. Il est donc bien difficile que les mêmes langues favorisent également l'exercice de ces deux opérations. La nôtre, par la simplicité et par la netteté de ses constructions, donne de bonne heure à l'esprit une exactitude dont il se fait insensiblement une habitude, et qui prépare beaucoup les progrès de l'analyse; mais elle est peu favorable à l'imagination. Les inversions des langues anciennes étoient au contraire un obstacle à l'analyse, à proportion que, contribuant davantage à l'exercice de l'imagination, elles le rendoient plus naturel que celui des autres opérations de l'ame. Voilà, je pense, une des causes de la supériorité des philosophes modernes sur les philosophes anciens. Une langue, aussi sage que la nôtre dans le choix des figures et des tours, devoit l'être à plus forte raison dans la manière de raisonner.

Il faudroit afin de fixer nos idées, imaginer deux langues : l'une qui donnât tant d'exercice à l'imagination, que les hommes qui la parleroient déraisonneroient sans cesse; l'autre qui exerçât au contraire si fort l'analyse, que les hommes à qui elle seroit naturelle se conduiroient jusques dans leurs plaisirs comme des géomètres qui cherchent la solution d'un problème. Entre ces deux extrémités, nous pourrions nous représenter toutes les langues possibles, leur voir prendre différens caractères selon l'extrémité dont elles se rapprocheroient, et se dédommager des avantages qu'elles perdroient d'un côté, par ceux qu'elles acquerroient de l'autre. La plus parfaite occuperoit le milieu, et le peuple qui la parleroit seroit un peuple de grands hommes...

§ 162. Par cette histoire des progrès du langage, chacun peut s'apercevoir que les langues, pour quelqu'un qui les connoîtroit bien, seroient une peinture du caractère et du génie de chaque peuple. Il y verroit comment l'imagination a combiné les idées d'après les préjugés et les passions; il y verroit se former chez chaque nation un esprit différent à proportion qu'il y auroit moins de commerce entr'elles. Mais si les mœurs ont influé sur le langage, celui-ci, lorsque les écrivains célèbres en eurent fixé les règles, influa à son tour sur les mœurs, et conserva longtemps à chaque peuple son caractère.

Essais..., II, ı, xv, pp. 432-455.

10. LE PÉRIL DES MOTS

§ 112. Il suffit de considérer comment les noms ont été imaginés, pour remarquer que ceux des idées simples sont les moins susceptibles d'équivoques : car les circonstances déterminent sensiblement les perceptions auxquelles ils se rapportent. Je ne puis douter de la signification de ces mots, *blanc, noir*, si je remarque qu''on les emploie pour désigner certaines perceptions que j'éprouve actuellement.

§ 113. Il n'en est pas de même des notions complexes : elles sont quelquefois si composées, qu'on ne peut rassembler que fort lentement les idées simples qui doivent leur appartenir. Quelques qualités sensibles qu'on observa facilement, composèrent d'abord la notion qu'on se fit d'une substance : dans la suite on la rendit plus complexe, selon qu'on fut plus habile à saisir de nouvelles qualités. Il est vraisemblable, par exemple, que la notion de l'or ne fut au commencement que celle d'un corps jaune et fort pesant : une expérience y fit, quelque tems après, ajouter la malléabilité; une autre, la ductilité ou la fixité; et ainsi successivement toutes les qualités dont les plus habiles chimistes ont formé l'idée qu'ils ont de cette substance. Chacun peut observer que les nouvelles qualités qu'on y découvroit, avoient, pour entrer dans la notion qu'on s'en étoit déjà faite, le même droit que les premières qu'on y avoit remarquées. C'est pourquoi il ne fut plus possible de déterminer le nombre des idées simples qui pouvoient composer la notion d'une substance. Selon les uns, il étoit plus grand, selon les autres, il l'étoit moins : cela dépendoit entièrement des expériences, et de la sagacité qu'on apportoit à les faire. Par là la signification des noms des substances a nécessairement été fort incertaine, et a occasionné quantité de disputes de mots. Nous sommes naturellement portés à croire que les autres ont les mêmes idées que nous, parce qu'ils se servent du même langage; d'où il arrive souvent que nous croyons être d'avis contraires, quoique nous défendions les mêmes sentimens. Dans ces occasions, il suffiroit d'expliquer le sens des termes pour faire évanouir les sujets de dispute, et pour rendre sensible le frivole de bien des questions que nous regardons comme importantes...

§ 114. La signification des noms des idées archétypes est encore plus incertaine que celle des noms des substances, soit parce qu'on trouve rarement le modèle des collections auxquelles ils appartiennent, soit parce qu'il est souvent bien difficile d'en remarquer toutes les parties, quand même on en a le modèle : les plus essentielles sont précisément celles qui nous échappent davantage. Pour se faire, par exemple, l'idée d'une action criminelle, il ne suffit pas d'observer ce qu'elle a d'extérieur et de visible, il faut encore saisir des choses qui ne tombent pas sous les yeux. Il faut pénétrer dans l'intention de celui qui la commet, découvrir le rapport qu'elle a avec la loi, et même quelquefois connoître plusieurs circonstances qui l'ont précédée. Tout cela demande un soin dont notre négligence, ou notre peu de sagacité nous rend communément incapables.

§ 115. Il est curieux de remarquer avec quelle confiance on se sert du langage dans le moment même qu'on en abuse le plus. On croit s'entendre, quoiqu'on n'apporte aucune précaution pour y parvenir. L'usage des mots est devenu si familier, que nous ne doutons point qu'on ne doive saisir notre pensée, aussitôt que nous les prononçons, comme si les idées ne pouvoient qu'être les mêmes dans celui qui parle et dans celui qui écoute. Au lieu de remédier à ces abus, les philosophes ont eux-mêmes affecté d'être obscurs. Chaque secte a été intéressée à imaginer des termes ambigus ou vides de sens. C'est par là qu'on a cherché à cacher les endroits foibles de tant de systèmes frivoles ou ridicules; et l'adresse à y réussir a passé, comme Locke le remarque, pour pénétration d'esprit et pour véritable savoir. Enfin, il est venu des hommes qui, composant leur langage du jargon de toutes les sectes, ont soutenu le pour et le contre sur toutes sortes de matières : talent qu'on a admiré et qu'on admire peut-être encore, mais qu'on traiteroit avec un souverain mépris, si l'on apprécioit mieux les choses. Pour prévenir tous ces abus, voici quelle doit être la signification précise des mots :

§ 116. Il ne faut se servir des signes que pour exprimer les idées qu'on a soi-même dans l'esprit. S'il s'agit des substances, les noms qu'on leur donne ne doivent se rapporter qu'aux qualités qu'on y a

remarquées et dont on a fait des collections. Ceux des idées archétypes ne doivent aussi désigner qu'un certain nombre d'idées simples, qu'on est en état de déterminer. Il faut surtout éviter de supposer légèrement que les autres attachent aux mêmes mots les mêmes
idées que nous. Quand on agite une question, notre premier soin doit
être de considérer si les notions complexes des personnes avec qui
nous nous entretenons renferment un plus grand nombre d'idées
simples que les nôtres. Si nous le soupçonnons plus grand, il faut
nous informer de combien et de quelles espèces d'idées : s'il nous
paroît plus petit, nous devons faire connoître quelles idées simples
nous y ajoutons de plus...

Essai..., II, I, XI, pp. 393-400.

§ 3. Encore enfans, incapables de réflexions, nos besoins sont tout
ce qui nous occupe. Cependant les objets font sur nos sens des impressions d'autant plus profondes, qu'ils y trouvent moins de résistance. Les organes se développent lentement, la raison vient avec
plus de lenteur encore, et nous nous remplissons d'idées et de maximes telles que le hasard et une mauvaise éducation les présentent.
Parvenus à un âge où l'esprit commence à mettre de l'ordre dans
ses pensées, nous ne voyons encore que des choses avec lesquelles
nous sommes depuis long-temps familiarisés. Ainsi nous ne balan-
çons pas à croire qu'elles sont, et qu'elles sont telles, parce qu'il
nous paroît naturel qu'elles soient et qu'elles soient telles. Elles sont
si vivement gravées dans notre cerveau, que nous ne saurions penser qu'elles ne fussent pas, ou qu'elles fussent autrement. De là
cette indifférence pour connoître les choses avec lesquelles nous
sommes accoutumés, et ces mouvemens de curiosité pour tout ce qui
paroît de nouveau...

§ 5. Ce qui accoutume notre esprit à cette inexactitude, c'est la
manière dont nous nous formons au langage. Nous n'atteignons l'âge
de raison que long-temps après avoir contracté l'usage de la parole.
Si l'on excepte les mots destinés à faire connoître nos besoins, c'est
ordinairement le hasard qui nous a donné occasion d'entendre certains
sons plutôt que d'autres, et qui a décidé des idées que nous leur
avons attachées. Pour peu qu'en réfléchissant sur les enfans que
nous voyons nous nous rappelions l'état par où nous avons passé,

nous reconnoîtrons qu'il n'y a rien de moins exact que l'emploi que nous faisons ordinairement des mots. Cela n'est pas étonnant. Nous entendions des expressions dont la signification, quoique bien déterminée par l'usage, étoit si composée que nous n'avions ni assez d'expérience, ni assez de pénétration, pour la saisir : nous en entendions d'autres qui ne présentoient jamais deux fois la même idée, ou qui même étoient tout à fait vides de sens. Pour juger de l'impossibilité où nous étions de nous en servir avec discernement, il ne faut que remarquer l'embarras où nous sommes encore souvent de le faire.

Essai..., II, II, I, pp. 459-462.

Nous ne savons plus mettre de la précision dans nos discours, nous n'y songeons pas : nous faisons des questions au hasard, nous y répondons de même : nous abusons continuellement des mots, et il n'y a point d'opinions extravagantes qui ne trouvent des partisans. Ce sont les philosophes qui ont amené les choses à ce point de désordre. Ils ont d'autant plus mal parlé, qu'ils ont voulu parler de tout : ils ont d'autant plus mal parlé, que, lorsqu'il leur arrivoit de penser comme tout le monde, chacun d'eux vouloit paroître avoir une façon de penser qui ne fût qu'à lui. Subtils, singuliers, visionnaires, inintelligibles, souvent ils sembloient craindre de n'être pas assez obscurs, et ils affectoient de couvrir d'un voile leurs connoissances vraies ou prétendues. Aussi la langue de la philosophie n'a-t-elle été qu'un jargon pendant plusieurs siècles.

Logique, II, IV, pp. 128-129.

11. LA REFONTE DES IDÉES

§ 8. Si l'origine de l'erreur est dans le défaut d'idées ou dans des idées mal déterminées, celle de la vérité doit être dans des idées bien déterminées. Les mathématiques en sont la preuve. Sur quelque sujet que nous ayons des idées exactes, elles seront toujours suffisantes pour nous faire discerner la vérité : si au contraire nous n'en avons pas, nous aurons beau prendre toutes les précautions imaginables, nous confondrons toujours tout. En un mot, en méta-

physique on marcheroit d'un pas assuré avec des idées bien déterminées, et sans ces idées on s'égareroit même en arithmétique.

§ 9. Mais comment les arithméticiens ont-ils des idées si exactes ?
C'est que, connoissant de quelle manière elles s'engendrent, ils sont
toujours en état de les composer ou de les décomposer pour les comparer selon tous leurs rapports. Ce n'est qu'en réfléchissant sur la
génération des nombres qu'on a trouvé les règles des combinaisons.
Ceux qui n'ont pas réfléchi sur cette génération, peuvent calculer
avec autant de justesse que les autres, parce que les règles sont sûres; mais, ne connoissant pas les raisons sur lesquelles elles sont
fondées, ils n'ont point d'idées de ce qu'ils font, et sont incapables
de découvrir de nouvelles règles.

§ 10. Or, dans toutes les sciences comme en arithmétique, la vérité ne se découvre que par des compositions et des décompositions.
Si l'on n'y raisonne pas ordinairement avec la même justesse, c'est
qu'on n'a pas encore trouvé de règles sûres pour composer ou décomposer toujours exactement les idées, ce qui provient de ce qu'on
n'a pas même su les déterminer. Mais peut-être que les réflexions que
nous avons faites sur l'origine de nos connoissances nous fourniront les moyens d'y suppléer...

Essai..., II, II, I, pp. 464-465.

§ 16. Afin de faire mieux comprendre cette méthode, il faut entrer
dans un plus grand détail, et appliquer aux différentes idées ce que
nous venons d'exposer d'une manière générale. Nous commencerons
par les noms des idées simples.

L'obscurité et la confusion des mots viennent de ce que nous leur
donnons trop ou trop peu d'étendue, ou même de ce que nous nous
en servons, sans leur avoir attaché d'idée. Il y en a beaucoup dont
nous ne saisissons pas toute la signification; nous la prenons parties
par parties, et nous y ajoutons ou nous en retranchons : d'où il
se forme différentes combinaisons qui n'ont qu'un même signe, et
d'où il arrive que les mêmes mots ont dans la même bouche des
acceptions bien différentes. D'ailleurs, comme l'étude des langues,
avec quelque peu de soin qu'elle se fasse, ne laisse pas de demander
quelque réflexion, on coupe court, et l'on rapporte les signes à des
réalités dont on n'a point d'idées. Tels sont, dans le langage de bien

des philosophes, les termes d'*être*, de *substance*, d'*essence*, etc. Il est évident que ces défauts ne peuvent appartenir qu'aux idées qui sont l'ouvrage de l'esprit. Pour la signification des noms des idées simples, qui viennent immédiatement des sens, elle est connue tout-à-la-fois; elle ne peut pas avoir pour objet des réalités imaginaires, parce qu'elle se rapporte immédiatement à de simples perceptions, qui sont en effet dans l'esprit telles qu'elles y paroissent. Ces sortes de termes ne peuvent donc être obscurs. Le sens en est si bien marqué par toutes les circonstances où nous nous trouvons naturellement, que les enfans mêmes ne sauroient s'y tromper. Pour peu qu'ils soient familiarisés avec leur langue, ils ne confondent point les noms des sensations, et ils ont des idées aussi claires de ces mots, *blanc, noir, rouge, mouvement, repos, plaisir, douleur*, que nous-mêmes. Quant aux opérations de l'ame, ils en distinguent également les noms, pourvu qu'elles soient simples, et que les circonstances tournent leur réflexion de ce côté; car on voit, par l'usage qu'ils font de ces mots, *oui, non, je veux, je ne veux pas*, qu'ils en saisissent la vraie signification...

§ 21. Les idées complexes sont l'ouvrage de l'esprit : si elles sont défectueuses, c'est parce que nous les avons mal faites; le seul moyen pour les corriger, c'est de les refaire. Il faut donc reprendre les matériaux de nos connoissances, et les mettre en œuvre comme s'ils n'avoient pas encore été employés. Pour cette fin, il est à propos, dans les commencements, de n'attacher aux sons que le plus petit nombre d'idées simples qu'il sera possible; de choisir celles que tout le monde peut apercevoir sans peine, en se plaçant dans les mêmes circonstances que nous; et de n'en ajouter de nouvelles que quand on se sera familiarisé avec les premières, et qu'on se trouvera dans des circonstances propres à les faire entrer dans l'esprit d'une manière claire et précise. Par là on s'accoutumera à joindre aux mots toutes sortes d'idées simples, en quelque nombre qu'elles puissent être.

La liaison des idées avec les signes est une habitude qu'on ne sauroit contracter tout d'un coup, principalement s'il en résulte des notions fort composées. Les enfans ne parviennent que fort tard à avoir des idées précises des nombres 1 000, 10 000, etc. Ils ne peuvent les acquérir que par un long et fréquent usage, qui leur apprend

à multiplier l'unité, et à fixer chaque collection par des noms particuliers. Il nous sera également impossible, parmi la quantité d'idées
complexes qui appartiennent à la métaphysique et à la morale, de
donner de la précision aux termes que nous aurons choisis, si nous
voulons, dès la première fois et sans autre précaution, les charger
d'idées simples. Il nous arrivera de les prendre tantôt dans un sens
et bientôt après dans un autre, parce que, n'ayant gravé que super-
ficiellement dans notre esprit les collections d'idées, nous y ajoute-
rons ou nous en retrancherons souvent quelque chose, sans nous en
apercevoir. Mais si nous commençons à ne lier aux mots que peu
d'idées, et si nous ne passons à de plus grandes collections qu'avec
beaucoup d'ordre, nous nous accoutumerons à composer nos notions
de plus en plus, sans les rendre moins fixes et moins assurées...

§ 23. Nous avons deux sortes de notions complexes : les unes
sont celles que nous formons sur des modèles; les autres sont certaines combinaisons d'idées simples que l'esprit joint par un effet
de son propre choix.

Ce seroit se proposer une méthode inutile dans la pratique, et
même dangereuse, que de vouloir se faire des notions des substances,
en rassemblant arbitrairement certaines idées simples. Ces notions
nous représenteroient des substances qui n'existeroient nulle part,
rassembleroient des propriétés qui ne seroient nulle part assem-
blées, sépareroient celles qui seroient réunies, et ce seroit un effet
du hasard si elles se trouvoient quelquefois conformes à des modèles. Pour rendre les noms des substances clairs et précis, il faut
donc consulter la nature, et ne leur faire signifier que les idées simples que nous observerons exister ensemble.

§ 24. Il y a encore d'autres idées qui appartiennent aux substances,
et qu'on nomme abstraites. Ce ne sont, comme je l'ai déjà dit, que
des idées plus ou moins simples, auxquelles nous donnons notre attention en cessant de penser aux autres idées simples qui co-existent
avec elles. Si nous cessons de penser à la substance des corps comme
étant actuellement colorée et figurée, et que nous ne la considérions
que comme quelque chose de mobile, de divisible, d'impénétrable
et d'une étendue indéterminée, nous aurons l'idée de la matière :
idée plus simple que celle des corps, dont elle n'est qu'une abstrac-

tion, quoiqu'il ait plu à bien des philosophes de la réaliser. Si ensuite nous cessons de penser à la mobilité de la matière, à sa divisi-
bilité et à son impénétrabilité, pour ne réfléchir que sur son étendue
indéterminée, nous nous formerons l'idée de l'espace pur, laquelle
est encore plus simple. Il en est de même de toutes les abstractions,
par où il paroît que les noms des idées les plus abstraites sont aussi
faciles à déterminer que ceux des substances mêmes.

§ 25. Pour déterminer les notions archétypes, c'est-à-dire, celles
que nous avons des actions des hommes et de toutes les choses qui
sont du ressort de la morale, de la jurisprudence et des arts, il faut se
conduire tout autrement que pour celles des substances. Les législa-
teurs n'avoient point de modèles quand ils ont réuni la première
fois certaines idées simples, dont ils ont composé les lois, et quand
ils ont parlé de plusieurs actions humaines avant d'avoir considéré
s'il y en avoit des exemples quelque part. Les modèles des arts ne se
sont pas non plus trouvés ailleurs que dans l'esprit des premiers
inventeurs. Les substances telles que nous les connoissons ne sont que
certaines collections de propriétés qu'il ne dépend point de nous
d'unir ni de séparer, et qu'il ne nous importe de connoître qu'autant
qu'elles existent, et que de la manière qu'elles existent. Les actions
des hommes sont des combinaisons qui varient sans cesse, et dont
il est souvent de notre intérêt d'avoir des idées, avant que nous en
ayons vu des modèles. Si nous n'en formions les notions qu'à mesure que l'expérience les feroit venir à notre connoissance, ce seroit souvent trop tard. Nous sommes donc obligés de nous y prendre différemment : ainsi nous réunissons ou séparons à notre choix
certaines idées simples, ou bien nous adoptons les combinaisons que
d'autres ont déjà faites.

§ 26. Il y a cette différence entre les notions des substances et les
notions archétypes, que nous regardons celles-ci comme des modèles
auxquels nous rapportons les choses extérieures, et que celles-là ne
sont que des copies de ce que nous apercevons hors de nous. Pour
la vérité des premières, il faut que les combinaisons de notre esprit
soient conformes à ce qu'on remarque dans les choses; pour la vérité des secondes, il suffit qu'au dehors les combinaisons en puissent
être telles qu'elles sont dans notre esprit. La notion de la justice se-

roit vraie, quand même on ne trouveroit point d'action juste, parce
que sa vérité consiste dans une collection d'idées, qui ne dépend
point de ce qui se passe hors de nous. Celle du fer n'est vraie qu'autant qu'elle est conforme à ce métal, parce qu'il en doit être le modèle.

Par ce détail sur les idées archétypes, il est facile de s'apercevoir
qu'il ne tiendra qu'à nous de fixer la signification de leurs noms,
parce qu'il dépend de nous de déterminer les idées simples dont
nous avons nous-mêmes formé des collections. On conçoit aussi que
les autres entreront dans nos pensées, pourvu que nous les mettions
dans des circonstances où les mêmes idées simples soient l'objet de
leur esprit comme du nôtre, et où ils soient engagés à les réunir
sous les mêmes noms que nous les aurons rassemblées.

Voilà les moyens que j'avois à proposer pour donner au langage
toute la clarté et toute la précision dont il est susceptible...

Essai..., II, ii, ii, pp. 471-484.

12. LES VICES DE L'ABSTRACTION

§ 4. Ce qui rend les idées générales si nécessaires, c'est la limitation de notre esprit. Dieu n'en a nullement besoin; sa connoissance
infinie comprend tous les individus, et il ne lui est pas plus difficile
de penser à tous en même temps que de penser à un seul. Pour nous,
la capacité de notre esprit est remplie, non seulement lorsque nous ne
pensons qu'à un objet, mais même lorsque nous ne le considérons
que par quelque endroit. Ainsi nous sommes obligés, pour mettre de
l'ordre dans nos pensées, de distribuer les choses en différentes
classes.

§ 5. Des notions qui partent d'une telle origine, ne peuvent être
que défectueuses; et vraisemblablement il y aura du danger à nous
en servir, si nous ne le faisons avec précaution. Aussi les philosophes sont-ils tombés, à ce sujet, dans une erreur qui a eu de
grandes suites : ils ont réalisé toutes leurs abstractions, ou les
ont regardées comme des êtres qui ont une existence réelle indépen-

damment de celle des choses. Voici, je pense, ce qui a donné lieu à une opinion aussi absurde.

§ 6. Toutes nos premières idées ont été particulières; c'étoient certaines sensations de lumière, de couleur, etc., ou certaines opérations de l'ame. Or toutes ces idées présentent une vraie réalité, puisqu'elles ne sont proprement que notre être différemment modifié; car nous ne saurions rien apercevoir en nous que nous ne le regardions comme à nous, comme appartenant à notre être, ou comme étant notre être de telle ou telle façon, c'est-à-dire, sentant, voyant, etc. : telles sont toutes nos idées dans leur origine.

Notre esprit étant trop borné pour réfléchir en même temps sur toutes les modifications qui peuvent lui appartenir, il est obligé de les distinguer, afin de les prendre les unes après les autres. Ce qui sert de fondement à cette distinction, c'est que ces modificatons changent et se succèdent continuellement dans son être, qui lui paroît un certain fonds qui demeure toujours le même.

Il est certain que ses modifications, distinguées de la sorte de l'être qui en est le sujet, n'ont plus aucune réalité. Cependant l'esprit ne peut pas réfléchir sur rien; car ce seroit proprement ne pas réfléchir. Comment donc ces modifications, prises d'une manière abstraite, ou séparément de l'être auquel elles appartiennent, et qui ne leur convient qu'autant qu'elles y sont renfermées, deviendront-elles l'objet de l'esprit ? C'est qu'il continue de les regarder comme des êtres. Accoutumé, toutes les fois qu'il les considère comme étant à lui, à les apercevoir avec la réalité de son être, dont pour lors elles ne sont pas distinctes, il leur conserve, autant qu'il peut, cette même réalité, dans le temps même qu'il les en distingue. Il se contredit; d'un côté, il envisage ses modifications sans aucun rapport à son être, et elles ne sont plus rien; d'un autre côté, parce que le néant ne peut se saisir, il les regarde comme quelque chose, et continue de leur attribuer cette même réalité avec laquelle il les a d'abord aperçues, quoiqu'elle ne puisse plus leur convenir. En un mot, ces abstractions, quand elles n'étoient que des idées particulières, se sont liées avec l'idée de l'être, et cette liaison subsiste.

Quelque vicieuse que soit cette contradiction, elle est néanmoins nécessaire; car si l'esprit est trop limité pour embrasser tout à la fois son être et ses modifications, il faudra bien qu'il les distingue, en formant des idées abstraites; et, quoique par-là les modifications perdent toute la réalité qu'elles avoient, il faudra bien encore qu'il leur en suppose, parce qu'autrement il n'en pourroit jamais faire l'objet de sa réflexion.

C'est cette nécessité qui est cause que bien des philosophes n'ont pas soupçonné que la réalité des idées abstraites fût l'ouvrage de l'imagination. Ils ont vu que nous étions absolument engagés à considérer ces idées comme quelque chose de réel, ils s'en sont tenus là; et, n'étant pas remontés à la cause qui nous les fait apercevoir sous cette fausse apparence, ils ont conclu qu'elles étoient en effet des êtres.

On a donc réalisé toutes ces notions; mais plus ou moins, selon que les choses dont elles sont des idées partielles, paroissent avoir plus ou moins de réalité. Les idées des modifications ont participé à moins de degrés d'être que celles des substances, et celles des substances finies en ont encore eu moins que celles de l'être infini.

§ 7. Ces idées, réalisées de la sorte, ont été d'une fécondité merveilleuse. C'est à elles que nous devons l'heureuse découverte des *qualités occultes, des formes substantielles, des espèces intentionnelles,* ou, pour ne parler que de ce qui est commun aux modernes, c'est à elles que nous devons *ces genres, ces espèces, ces essences* et *ces différences,* qui sont tout autant d'êtres qui vont se placer dans chaque substance, pour la déterminer à être ce qu'elle est. Lorsque les philosophes se servent de ces mots, *être, substance, essence, genre, espèce,* il ne faut pas s'imaginer qu'ils n'entendent que certaines collections d'idées simples qui nous viennent par sensation et par réflexion; ils veulent pénétrer plus avant, et voir dans chacun d'eux des réalités spécifiques. Si même nous descendons dans un plus grand détail, et que nous passions en revue les noms des substances, *corps, animal, homme, métal, or, argent,* etc., tous dévoilent aux yeux des philosophes des êtres cachés au reste des hommes...

§ 9. L'abus des notions abstraites réalisées se montre encore bien visiblement, lorsque les philosophes, non contens d'expliquer à leur manière la nature de ce qui est, ont voulu expliquer la nature de ce qui n'est pas. On les a vu parler des créatures purement possibles, comme des créatures existantes, et tout réaliser, jusqu'au néant d'où elles sont sorties. Où étoient les créatures, a-t-on demandé, avant que Dieu les eût créées ? La réponse est facile car c'est demander où elles étoient avant qu'elles fussent, à quoi, ce me semble, il suffit de répondre qu'elles n'étoient nulle part.

L'idée des créatures possibles n'est qu'une abstraction réalisée, que nous avons formée, en cessant de penser à l'existence des choses, pour ne penser qu'aux autres qualités que nous leur connoissons. Nous avons pensé à l'étendue, à la figure, au mouvement et au repos des corps, et nous avons cessé de penser à leur exitence. Voilà comment nous nous sommes fait l'idée des corps possibles, idée qui leur ôte toute leur réalité, puisqu'elle les suppose dans le néant, et qui, par une contradiction évidente, la leur conserve, puisqu'elle nous les représente comme quelque chose d'étendu, de figuré, etc.

Les philosophes n'apercevant pas cette contradiction, n'ont pris cette idée que par ce dernier endroit. En conséquence, ils ont donné à ce qui n'est point les réalités de ce qui existe; et quelques-uns ont cru résoudre d'une manière sensible les questions les plus épineuses de la création...

§ 14. Il est donc bien important de ne pas réaliser nos abstractions. Pour éviter cet inconvénient, je ne connois qu'un moyen, c'est de savoir développer l'origine et la génération de toutes nos notions abstraites. Mais ce moyen a été inconnu aux philosophes, et c'est en vain qu'ils ont tâché d'y suppléer par des définitions. La cause de leur ignorance à cet égard, c'est le préjugé où ils ont toujours été qu'il falloit commencer par les idées générales; car, lorsqu'on s'est défendu de commencer par les particulières, il n'est pas possible d'expliquer les plus abstraites qui en tirent leur origine.

Essai..., I, v, pp. 212-229.

13. LES VRAIS ET LES FAUX PRINCIPES

Un système n'est autre chose que la disposition des différentes parties d'un art ou d'une science dans un ordre où elles se soutiennent toutes mutuellement, et où les dernières s'expliquent par les premières. Celles qui rendent raison des autres, s'appellent *principes*; et le système est d'autant plus parfait, que les principes sont en plus petit nombre : il est même à souhaiter qu'on les réduise à un seul.

On peut remarquer dans les ouvrages des philosophes trois sortes de principes, d'où se forment trois sortes de systèmes.

Le principes que je mets dans la première classe, comme les plus à la mode, sont des maximes générales ou abstraites. On exige qu'ils soient si évidens, ou si bien démontrés, qu'on ne les puisse révoquer en doute. En effet, s'ils étoient incertains, on ne pourroit être assuré des conséquences qu'on en tireroit...

La vertu que les philosophes attribuent à ces sortes de principes, est si grande, qu'il étoit naturel qu'on travaillât à les multiplier. Les métaphysiciens se sont en cela distingués. Descartes, Mallebranche, Leibniz, etc., chacun à l'envi nous en a prodigué, et nous ne devons plus nous en prendre qu'à nous-mêmes, si nous ne pénétrons pas *les choses les plus cachées*.

Les principes de la seconde espèce sont des suppositions qu'on imagine pour expliquer les choses dont on ne sauroit d'ailleurs rendre raison. Si les suppositions ne paroissent pas impossibles, et si elle fournissent quelque explication des phénomènes connu, les philosophes ne doutent pas qu'ils n'aient découvert les vrais ressorts de la nature. Seroit-il possible, disent-ils, qu'une supposition qui seroit fausse, donnât des dénouemens heureux ? De-là est venue l'opinion que l'explication des phénomènes prouve la vérité d'une supposition, et qu'on ne doit pas tant juger d'un système par ses principes, que par la manière dont il rend raison des choses. On ne doute pas que des suppositions, d'abord arbitraires, ne deviennent incontestables par l'adresse avec laquelle on les a employées.

Les métaphysiciens ont été aussi inventifs dans cette seconde espèce de principes, que dans la première; et, par leurs soins, la métaphysique n'a plus rien rencontré qui pût être un mystère pour elle. Qui dit métaphysique, dit, dans leur langage, la science des premières vérités, des premiers principes des choses. Mais il faut convenir que cette science ne se trouve pas dans leurs ouvrages.

Les notions abstraites ne sont que des idées formées de ce qu'il y a de commun entre plusieurs idées particulières. Telle est la notion d'animal : elle est l'extrait de ce qui appartient également aux idées de l'homme, du cheval, du singe, etc. Par-là une notion abstraite sert en apparence à rendre raison de ce qu'on remarque dans les objets particuliers. Si, par exemple, on demande pourquoi le cheval marche, boit, mange; on répondra très philosophiquement, en disant que ce n'est que parce qu'il est un animal. Cette réponse, bien analysée, ne veut cependant dire autre chose, sinon que le cheval marche, boit, mange, parce qu'en effet il marche, boit, mange. Mais il est rare que les hommes ne se contentent pas d'une première réponse. On diroit que leur curiosité les porte moins à s'instruire d'une chose, qu'à faire des questions sur plusieurs. L'air assuré d'un philosophe leur en impose. Ils craindroient de paroître trop peu intelligens, s'ils insistoient sur un même point. Il suffit que l'oracle rendu soit formé d'expressions familières, ils auroient honte de ne pas l'entendre; ou s'ils ne pouvoient s'en cacher l'obscurité, un seul regard de leur maître paraîtroit la dissiper. Peut-on douter, quand celui à qui on donne toute sa confiance, ne doute pas lui-même ? Il n'y a donc pas de quoi s'étonner si les principes abstraits se sont si fort multipliés, et ont de tout temps été regardés comme la source de nos connoissances.

Les notions abstraites sont absolument nécessaires pour mettre de l'ordre dans nos connoissances, parce qu'elles marquent à chaque idée sa classe. Voilà uniquement quel en doit être l'usage. Mais de s'imaginer qu'elles soient faites pour conduire à des connoissances particulières, c'est un aveuglement d'autant plus grand, qu'elles ne se forment elles-mêmes que d'après ces connoissances. Quand je blâmerai les principes abstraits, il ne faudra donc pas me soupçonner d'exiger qu'on ne se serve plus d'aucune notion abstraite; cela seroit ridicule : je prétends seulement qu'on ne les doit jamais prendre pour des principes propres à mener à des découvertes.

Quant aux suppositions, elles sont d'une si grande ressource pour l'ignorance, si commodes; l'imagination les fait avec tant de plaisir, avec si peu de peine : c'est de son lit qu'on crée, qu'on gouverne l'univers. Tout cela ne coûte pas plus qu'un rêve, et un philosophe rêve facilement.

Il n'est pas aussi facile de bien consulter l'expérience, et de recueillir des faits avec discernement. C'est pourquoi il est rare que nous ne prenions pour principes que des faits bien constatés, quoique peut-être nous en ayons beaucoup plus que nous ne pensons; mais, par le peu d'habitude d'en faire usage, nous ignorons la manière de les appliquer. Nous avons vraisemblablement dans nos mains l'explication de plusieurs phénomènes, et nous l'allons chercher bien loin de nous. Par exemple, la gravité des corps a été de tout temps un fait bien constaté, et ce n'est que de nos jours qu'elle a été reconnue pour un principe.

C'est sur les principes de cette dernière espèce, que sont fondés les vrais systèmes, ceux qui mériteroient seuls d'en porter le nom. Car ce n'est que par le moyen de ces principes que nous pouvons rendre raison des choses dont il nous est permis de découvrir les ressorts.

Traité des Systèmes, I, pp. 1-7.

14. LES PHILOSOPHES ET LEURS SYSTÈMES

I. *CONTRE LES VAINS SYSTEMES*

C'est aux idées plus faciles à préparer l'intelligence de celles qui le sont moins. Or chacun peut connoître, par sa propre expérience, que les idées sont plus faciles, à proportion qu'elles sont moins abstraites et qu'elles se rapprochent davantage des sens; au contraire elles sont plus difficiles, à proportion qu'elles s'éloignent des sens, et qu'elles deviennent plus abstraites. La raison de cette expérience, c'est que toutes nos connoissances viennent des sens. Une idée abstraite veut donc être expliquée par une idée moins abstraite, et ainsi successivement, jusqu'à ce qu'on arrive à une idée particulière et sensible.

D'ailleurs, le premier objet d'un philosophe doit être de déterminer exactement ses idées. Les idées particulières sont déterminées par elles-mêmes, et il n'y a qu'elles qui le soient : les notions abstraites sont au contraire naturellement vagues, et elles n'offrent rien de fixe, qu'elles n'aient été déterminées par d'autres. Mais sera-ce par des notions encore plus abstraites ? Non, sans doute, car ces notions auroient elles-mêmes encore plus besoin d'être déterminées; il faut donc recourir à des idées particulières. En effet, rien n'est plus propre à expliquer une notion, que celle qui l'a engendrée. Par conséquent, on a bien tort de vouloir que nos connoissances aient leur origine dans des principes abstraits...

Mais, afin de rendre la chose plus sensible, je voudrois bien qu'on arrachât à son cabinet ou à l'école un de ces philosophes qui aperçoivent une si grande fécondité dans les principes généraux, et qu'on lui offrît le commandement d'une armée, ou le gouvernement de l'Etat. S'il se rendoit justice, il s'excuseroit, sans doute, sur ce qu'il n'entend ni la guerre ni la politique : mais ce seroit pour lui la plus petite excuse du monde. L'art militaire et la politique ont leurs principes généraux, comme toutes les autres sciences. Pourquoi donc ne pourroit-il pas, si on les lui apprend, ce qui n'est l'affaire que de peu d'instans, en découvrir toutes les conséquences, et devenir, après quelques heures de méditation, un Condé, un Turenne, un Richelieu, un Colbert ? Qui l'empêcheroit de choisir entre ces grands hommes ? On sent combien cette supposition est ridicule, parce qu'il ne suffit pas, pour avoir la réputation de bon ministre et de bon général, comme pour avoir celle de bon philosophe, de se perdre en vaines spéculations. Mais peut-on exiger moins d'un philosophe pour bien raisonner, que d'un général ou d'un ministre pour bien agir ? Quoi! il faudra que ceux-ci aient percé, ou qu'au moins ils aient étudié avec soin les détails des emplois subalternes; et un philosophe deviendra tout à coup un homme savant, un homme pour qui la nature n'a point de secrets, et cela par le charme de deux ou trois propositions!

Cependant les philosophes ne balancent pas. Dans ces sortes de cas, chacun a son système favori, auquel il veut que tous les autres cèdent. La raison a peu de part au choix qu'ils font; d'ordinaire les passions décident toutes seules. Un esprit, naturellement doux et bienfaisant, adoptera les principes qu'on tire de la bonté de Dieu, parce qu'il ne trouve rien de plus grand, de plus beau, que de faire du bien : ainsi, ce doit être là le premier caractère de la divinité, celui auquel tout doit se rapporter. Un autre, dont l'imagination est grande, et les idées sont relevées, aimera mieux les principes

qu'on emprunte de l'ordre et de la sagesse, parce que rien ne lui
plaît davantage qu'un enchaînement de causes à l'infini, et une combinaison admirable de toutes les parties de l'univers, le malheur de
toutes les créatures dût-il en être une suite nécessaire. Enfin, un
caractère sombre, mélancolique, misanthrope, odieux à lui et aux
autres, aura du goût pour ces mots *destin, fatalité, nécessité, hasard,*
parce qu'inquiet, mécontent de lui et de tout ce qui l'environne, il
est obligé de se regarder comme un objet de mépris et d'horreur,
ou de se persuader qu'il n'y a ni bien ni mal, ni ordre ni désordre.
Peut-il hésiter ? Sagesse, honneur, vertu, probité; voilà de vains
sons : destin, fatalité, hasard, nécessité; voilà son système...

                                              ... *Systèmes,* II, pp. 15-25.

Si les philosophes ne s'appliquoient qu'à des matières de pure
spéculation, on pourroit s'épargner la peine de critiquer leur conduite. C'est bien la moindre chose qu'on permette aux hommes de
déraisonner quand leurs erreurs ne tirent pas à conséquence. Mais
il ne faut pas s'attendre à les trouver plus sages, lorsqu'ils ont à
méditer sur des sujets de pratique. Les principes abstraits sont une
source abondante en paradoxes, et les paradoxes sont d'autant plus
intéressans, qu'ils se rapportent à des choses d'un plus grand usage.
Quels abus, par conséquent, cette méthode n'a-t-elle pas dû introduire dans la morale et dans la politique!...

                                              ... *Systèmes,* III, p. 43.

La plupart des erreurs des philosophes viennent de ce qu'ils n'ont
pas distingué soigneusement ce que l'on imagine de ce que l'on conçoit, et de ce qu'au contraire ils ont cru concevoir des choses qui
n'étoient que dans leur imagination. C'est le défaut qui règne dans
leurs raisonnemens.
Ce n'est pas que je veuille refuser à ceux qui font des systèmes
abstraits, tous les éloges qu'on leur donne. Il y a tels de ces ouvrages, qui nous forcent à les admirer. Ils ressemblent à ces palais, où
le goût, les commodités, la grandeur, la magnificence concour-
roient à faire un chef-d'œuvre de l'art, mais qui porteroient sur des
fondemens si peu solides, qu'ils paroîtroient ne se soutenir que par
enchantement. On donneroit sans doute des éloges à l'architecte, mais

des éloges bien contre-balancés par la critique qu'on feroit de son imprudence. On regarderoit comme la plus insigne folie, d'avoir bâti sur de si foibles fondemens un si superbe édifice et, quoique ce fût l'ouvrage d'un esprit supérieur, et que les pièces en fussent disposées dans un ordre admirable, personne ne seroit assez peu sage pour y vouloir loger.

On peut conclure de ces considérations, qu'il faut apporter beaucoup de précaution dans la lecture des philosophes. Le moyen le plus sûr pour être en garde contre leurs systèmes, c'est étudier comment ils les ont pu former. Telle est la pierre de touche de l'erreur et de la vérité : remontez à l'origine de l'une et de l'autre, voyez comment elles sont entrées dans l'esprit, et vous les distinguerez parfaitement. C'est une méthode dont les philosophes que je blâme connoissent peu l'usage.

... *Systèmes*, XIII, pp. 367-369.

C'est souvent la vanité qui enfante ces systèmes, et la vanité est toujours ignorante; elle est aveugle, elle veut l'être, et elle veut cependant juger. Les fantômes qu'elle produit ont assez de réalité pour elle; elle craindroit de les voir se dissiper.

Tel est le motif secret qui porte les philosophes à expliquer la nature sans l'avoir observée, ou du moins après des observations assez légères. Ils ne présentent que des notions vagues, des termes obscurs, des suppositions gratuites, des contradictions sans nombre; mais ce chaos leur est favorable : la lumière détruiroit l'illusion; et, s'ils ne s'égaroient pas, que resteroit-il à plusieurs ? Leur confiance est donc grande, et ils jettent un regard méprisant sur ces sages observateurs, qui ne parlent que d'après ce qu'ils voient, et qui ne veulent voir que ce qui est : ce sont, à leurs yeux, de petits esprits qui ne savent pas généraliser.

Est-il donc si difficile de généraliser, quand on ne connoît ni la justesse ni la précision ? Est-il si difficile de prendre une idée comme au hasard, de l'étendre et d'en faire un système ?

C'est aux philosophes qui observent scrupuleusement qu'il appartient uniquement de généraliser. Ils considèrent les phénomènes chacun sous toutes ses faces; ils les comparent; et, s'il est possible de découvrir un principe commun à tous, ils ne le laissent pas échapper. Il ne se hâtent donc pas d'imaginer; ils ne généralisent, au contraire, que parce qu'ils y sont forcés par la suite des observations. Mais ceux que je blâme, moins circonspects, bâtissent, d'une seule idée générale, les plus beaux systèmes. Ainsi, du seul mouvement d'une baguette, l'enchanteur élève, détruit, change tout au gré de ses désirs; et l'on croiroit que c'est pour présider à ces philosophes que les fées ont été imaginées.

Traité des animaux, I, i, pp. 449-451.

Si vous voulez connoître les mauvaises habitudes de l'esprit humain, observez les différentes opinions des peuples. Voyez les idées fausses, contradictoires, absurdes, que la superstition a répandues de toutes parts, et jugez de la force des habitudes à la passion qui fait respecter l'erreur bien plus que la vérité.

Considérez les nations depuis leur commencement jusqu'à leur décadence, et vous verrez les préjugés se multiplier, avec les désordres : vous serez étonné du peu de lumière que vous trouverez dans les siècles même qu'on nomme éclairés. En général, quelles législations! quels gouvernemens! quelle jurisprudence! Combien peu de peuples ont eu de bonnes lois! et combien peu les bonnes lois durent-elles!

Enfin, si vous observez l'esprit philosophique chez les Grecs, chez les Romains, et chez les peuples qui leur ont succédé, vous verrez, aux opinions qui se transmettent d'âge en âge, combien l'art de régler la pensée a été peu connu dans tous les siècles, et vous serez surpris de l'ignorance où nous sommes encore à cet égard, si vous considérez que nous venons après des hommes de génie qui ont reculé les bornes de nos connoissances. Tel est en général le caractère des sectes : ambitieuses de dominer exclusivement, il est rare qu'elles ne cherchent que la vérité; elles veulent surtout se singulariser. Elles agitent des questions frivoles, elles parlent des jargons inintelligibles, elles observent peu, elles donnent leurs rêves pour des interprétations de la nature; enfin, occupées à se nuire les unes aux autres, et à se faire chacune de nouveaux partisans, elles emploient à cet effet toutes sortes de moyens, et sacrifient tout aux opinions qu'elles veulent répandre.

La vérité est bien difficile à reconnoître parmi tant de systèmes monstrueux, qui sont entretenus par les causes qui les ont produits; c'est-à-dire par les superstitions, par les gouvernemens, et par la mauvaise philosophie. Les erreurs, trop liées les unes aux autres, se défendent mutuellement. En vain on en combattroit quelques-unes : il faudroit les détruire toutes à la fois; c'est-à-dire qu'il faudroit tout à coup changer toutes les habitudes de l'esprit humain.

Logique, II, I, pp. 100-105.

II. *CONTRE DESCARTES*

§ 32. Les philosophes ne font des raisonnemens si obscurs et si confus, que parce qu'ils ne soupçonnent pas qu'il y ait des idées qui soient l'ouvrage de l'esprit, ou que, s'ils le soupçonnent, ils sont incapables d'en découvrir la génération. Prévenus que les idées sont innées, ou que, telles qu'elles sont, elles ont été bien faites, ils croient n'y devoir rien changer, et les prennent telles que le hasard les présente. Comme on ne peut bien analyser que les idées qu'on a soi-même formées avec ordre, leurs analyses, ou plutôt leurs définitions sont presque toujours défectueuses. Ils étendent ou restreignent mal à propos la signification de leurs termes, ils la changent sans s'en apercevoir, ou même ils rapportent les mots à des notions vagues et à des réalités inintelligibles...

§ 33. Descartes a eu raison de penser que, pour arriver à des connoissances certaines, il falloit commencer par rejeter toutes celles que nous croyons avoir acquises; mais il s'est trompé, lorsqu'il a cru qu'il suffisoit pour cela de les révoquer en doute. Douter si deux et deux font quatre, si l'homme est un animal raisonnable, c'est avoir des idées de deux, de quatre, d'homme, d'animal et de raisonnable. Le doute laisse donc subsister les idées telles qu'elles sont : ainsi, nos erreurs venant de ce que nos idées ont été mal faites, il ne les sauroit prévenir. Il peut, pendant un temps, nous faire suspendre nos jugemens; mais enfin nous ne sortirons d'incertitude qu'en consultant les idées qu'il n'a pas détruites; et, par conséquent, si elles sont vagues, mal déterminées, elles nous égareront comme auparavant. Le doute de Descartes est donc inutile. Chacun peut éprouver par lui-même qu'il est encore impraticable : car, si l'on compare des idées familières et bien déterminées, il n'est pas possible de douter des rapports qui sont entre elles. Telles sont, par exemple, celles des nombres.

§ 34. Si ce philosophe n'avoit pas été prévenu pour les idées innées, il auroit vu que l'unique moyen de se faire un nouveau fonds de connoissances, étoit de détruire les idées mêmes pour les reprendre à leur origine, c'est-à-dire, aux sensations. Par là, on peut remarquer une grande différence entre dire avec lui qu'il faut commencer par les choses les plus simples, ou, suivant ce qu'il me paroît, par les idées les plus simples que les sens transmettent. Chez lui les choses les plus simples sont des idées innées, des principes généraux et des notions abtraites, qu'il regarde comme la source de nos connoissances. Dans la méthode que je propose, les idées les plus simples sont les premières idées particulières qui nous viennent par sensation et par réflexion. Ce sont les matériaux de nos connoissances, que nous combinerons selon les circonstances, pour en former des idées complexes, dont l'analyse nous découvrira les rapports.

Essai..., II, II, III, pp. 492-495.

III. *CONTRE LE P. BOURSIER*

Dans un traité, De l'Action de Dieu sur les créatures, *publié en 1713, le P. Boursier soutient qu'à chaque modalité nouvelle Dieu ajoute un degré d'être à l'âme. Là-dessus, Condillac ironise :*

C'est de ces raisons, étendues plus ou moins, que cet auteur a conclu que toutes nos connoissances, tous nos amours, tous nos degrés de connoissance, tous nos degrés d'amour sont autant d'êtres ou de degrés d'être; ce dont il se sert comme d'un principe incontestable.

Quand je suis bien rempli de ce système, je me fais un vrai plaisir d'ouvrir, de fermer et de rouvrir sans cesse les yeux. D'un clin d'œil, je produis, j'anéantis, et je reproduis des êtres sans nombre. Il semble encore qu'à tout ce que j'entends, je sente grossir mon être : si j'apprends, par exemple, que dans une bataille il est resté dix mille hommes sur la place, dans le moment, mon âme augmente de dix mille degrés d'êtres, un pour chaque homme tué. Si elle n'augmentoit que de neuf mille neuf cent quatre-vingt-dix-neuf degrés, je ne saurois pas que le dix millième a péri : car la connoissance de la mort de ce dix millième n'est pas *un néant, un rien, une chimère; c'est un être, une réalité, un degré d'être.* Tant il est vrai que dans ce système mon ame fait son profit de tout. Il y a là bien de la philosophie.

C'est grand dommage que ce système soit inintelligible; c'est dommage que l'auteur ne puisse donner aucune idée de ces êtres, qu'il fait si fort valoir, et qu'il multiplie avec tant de prodigalité. Comprenons-nous qu'à chaque instant, de nouveaux êtres soient ajoutés à notre substance, et ne fassent avec elle qu'un seul être indivisible ? Comprenons-nous qu'on puisse retrancher quelque chose d'une substance qui n'est pas composée, ou qu'on lui puisse ajouter quelque chose sans qu'elle perde sa simplicité ? Je ne conçois pas, direz-vous, que la chose puisse se faire autrement. Je le veux : mais concevez-vous qu'elle puisse se faire comme vous le dites ? Avez-vous quelque idée de ces entités ajoutées à l'âme, qui, sans lui ôter sa simplicité, l'augmenteroient des millions de fois ? Non sans doute. Il vaudroit donc autant laisser la question sans la résoudre, que de le faire d'une façon où nous ne comprenons rien ni l'un ni l'autre.

... *Systèmes,* IX, p. 196.

IV. *CONTRE SPINOZA*

Rien ne fait mieux connoître la foiblesse de l'esprit, que les efforts qu'il fait pour franchir les bornes qui lui sont prescrites. Quoiqu'on n'ait aucune idée de ce qu'on nomme *substance,* on a imaginé le mot *essence* pour signifier ce qui constitue la *substance*; et afin qu'on ne soupçonne pas ce terme d'être lui-même vide de sens, on a encore imaginé celui d'*attribut* pour signifier ce qui constitue l'essence. Enfin, lorsqu'on peut se passer de ces distinctions, on convient que la substance, l'essence et l'attribut ne sont qu'une même chose. C'est ainsi qu'un labyrinthe de mots sert à cacher l'ignorance profonde des métaphysiciens.

Si, comme je crois l'avoir prouvé, nous ne connoissons point la substance, et si, comme en convient Spinoza, la substance, l'essence et l'attribut ne sont dans le vrai qu'une même chose, ce philosophe n'a pas plus d'idée de l'attribut et de l'essence, que de la substance même...

Que les sectateurs de Spinosa choisissent donc de deux partis l'un, ou qu'ils confessent que jusqu'ici ils se sont déclarés pour un système qui ne signifie rien, ou qu'ils développent d'une façon nette et exacte le grand sens qu'ils prétendent y être renfermé. Mais il n'y a pas à balancer sur le jugement qu'on doit porter de ce philosophe : prévenu pour tous les préjugés de l'école, il ne doutoit pas que notre esprit ne fût capable de découvrir l'essence des choses, et de remonter à leurs premiers principes. Sans justesse, il ne se faisoit que des notions vagues, dont il se contentoit toujours; et, s'il connoissoit l'art d'arranger des mots et des propositions à la manière des géomètres, il ne connoissoit pas celui de se faire des idées comme eux. Une chose me persuade, qu'il a pu être lui-même la dupe de ses propres raisonnemens, c'est l'art avec lequel il les a tissus.

... Systèmes, X, pp. 226, 323.

15. LE PLAISIR ET LE BESOIN

§ 23. Le plaisir peut diminuer ou augmenter par degrés; en diminuant, il tend à s'éteindre, et il s'évanouit avec la sensation. En augmentant, au contraire, il peut conduire jusqu'à la douleur, parce que l'impression devient trop forte pour l'organe. Ainsi il y a deux termes dans le plaisir. Le plus foible est où la sensation commence avec le moins de force; c'est le premier pas du néant au sentiment : le plus fort est où la sensation ne peut augmenter, sans cesser d'être agréable; c'est l'état le plus voisin de la douleur.

L'impression d'un plaisir foible paroît se concentrer dans l'organe, qui le transmet à l'ame. Mais s'il est à un certain degré de vivacité, il est accompagné d'une émotion, qui se répand dans tout le corps.

Cette émotion est un fait que notre expérience ne permet pas de révoquer en doute.

La douleur peut également augmenter ou diminuer : en augmentant, elle tend à la destruction totale de l'animal; mais en diminuant, elle ne tend pas comme le plaisir à la privation de tout sentiment; le moment, qui la termine, est au contraire toujours agréable.

Il n'y a d'état indifférent que par comparaison.

§ 24. Parmi ces différens degrés, il n'est pas possible de trouver un état indifférent : à la première sensation, quelque foible qu'elle soit, la statue est nécessairement bien ou mal. Mais lorsqu'elle aura ressenti successivement les plus vives douleurs et les plus grands plaisirs, elle jugera indifférentes, ou cessera de regarder comme agréables ou désagréables, les sensations plus foibles, qu'elle aura comparées avec les plus fortes.

Nous pouvons donc supposer qu'il y a pour elle des manières d'être agréables et désagréables dans différens degrés, et des manières d'être qu'elle regarde comme indifférentes.

Origine du besoin.

§ 25. Toutes les fois qu'elle est mal ou moins bien, elle se rappelle ses sensations passées, elle les compare avec ce qu'elle est, et elle sent qu'il lui est important de redevenir ce qu'elle a été. De là naît le besoin, ou la connoissance qu'elle a d'un bien, dont elle juge que la jouissance lui est nécessaire.

Elle ne se connoît donc des besoins, que parce qu'elle compare la peine qu'elle souffre avec les plaisirs dont elle a joui. Enlevez-lui le souvenir de ces plaisirs, elle sera mal, sans soupçonner qu'elle ait aucun besoin : car pour sentir le besoin d'une chose, il faut en avoir quelque connoissance. Or dans la supposition que nous venons de faire, elle ne connoît d'autre état que celui où elle se trouve. Mais lorsqu'elle s'en rappelle un plus heureux, sa situation présente lui en fait aussitôt sentir le besoin. C'est ainsi que le plaisir et la douleur détermineront toujours l'action de ses facultés.

Comment il détermine les opérations de l'âme.

§ 26. Son besoin peut être occasionné par une véritable douleur, par une sensation désagréable, par une sensation moins agréable que quelques-unes de celles qui ont précédé; enfin par un état languissant, où elle est réduite à une de ses manières d'être, qu'elle s'est accoutumée à trouver indifférentes.

Si son besoin est causé par une odeur, qui lui fasse une douleur vive, il entraîne à lui presque toute la capacité de sentir; et il ne laisse de force à la mémoire que pour rappeler à la statue, qu'elle n'a pas toujours été aussi mal. Alors elle est incapable de comparer les différentes manières d'être, par où elle a passé; elle est incapable de juger quelle est la plus agréable. Tout ce qui l'intéresse, c'est de sortir de cet état, pour jouir d'un autre, quel qu'il soit; et si elle connoissoit un moyen qui pût la dérober à sa souffrance, elle appliqueroit toutes ses facultés à le mettre en usage. C'est ainsi que dans les grandes maladies nous cessons de desirer les plaisirs que nous recherchions avec ardeur, et nous ne songeons plus qu'à recouvrer la santé.

Si c'est une sensation moins agréable qui produise le besoin, il faut distinguer deux cas : ou les plaisirs auxquels la statue la compare ont été vifs, et accompagnés des plus grandes émotions, ou ils ont été moins vifs, et ne l'ont presque pas émue.

Dans le premier cas, le bonheur passé se réveille avec d'autant plus de force, qu'il diffère davantage de la sensation actuelle. L'émotion qui l'a accompagné, se reproduit en partie, et déterminant vers lui presque toute la capacité de sentir, elle ne permet pas de remarquer les sentimens agréables qui l'ont suivi ou précédé. La statue n'étant donc point distraite, compare mieux ce bonheur avec l'état où elle est; elle juge mieux combien il en est différent; et s'appliquant à se le peindre de la manière la plus vive, sa privation cause un besoin plus grand, et sa possession devient un bien plus nécessaire.

Dans le second cas au contraire, il se retrace avec moins de vivacité : d'autres plaisirs partagent l'attention : l'avantage qu'il offre est moins senti : il ne reproduit point, ou que peu d'émotion.

La statue n'est donc pas autant intéressée à son retour, et elle n'y applique pas autant ses facultés.

Enfin, si le besoin a pour cause une de ces sensations, qu'elle s'est accoutumée à juger indifférentes, elle vit d'abord sans ressentir ni peine ni plaisir. Mais cet état, comparé aux situations heureuses où elle s'est trouvée, lui devient bientôt désagréable, et la peine qu'elle souffre, est ce que nous appelons *ennui*. Cependant l'ennui dure, il augmente, il est insupportable, et il détermine avec force toutes les facultés vers le bonheur dont elle sent la perte.

Cet ennui peut être aussi accablant que la douleur : auquel cas, elle n'a d'autre intérêt que de s'y soustraire; et elle se porte sans choix à toutes les manières d'être qui sont propres à le dissiper. Mais si nous diminuons le poids de l'ennui, son état sera moins malheureux, il lui importera moins d'en sortir, elle pourra porter son attention à tous les sentimens agréables, dont elle conserve quelque souvenir; et c'est le plaisir dont elle se retracera l'idée la plus vive, qui entraînera à lui toutes les facultés.

Activité qu'il donne à la mémoire.

§ 27. Il y a donc deux principes qui déterminent le degré d'action de ses facultés : d'un côté, c'est la vivacité d'un bien, qu'elle n'a plus; de l'autre c'est le peu de plaisir de la sensation actuelle, ou la peine qui l'accompagne.

Lorsque ces deux principes se réunissent, elle fait plus d'effort pour se rappeler ce qu'elle a cessé d'être; et elle en sent moins ce qu'elle est. Car sa capacité de sentir ayant nécessairement des bornes, la mémoire n'en peut attirer une partie, qu'il n'en reste moins à l'odorat. Si même l'action de cette faculté est assez forte, pour s'emparer de toute la capacité de sentir, la statue ne remarquera plus l'impression qui se fait sur son organe, et elle se représentera si vivement ce qu'elle a été qu'il lui semblera qu'elle l'est encore.

Cette activité cesse avec le besoin.

§ 28. Mais si son état présent est le plus heureux qu'elle connoisse, alors le plaisir l'intéresse à en jouir par préférence. Il n'y a plus de cause qui puisse déterminer la mémoire à agir avec assez de vivacité, pour usurper sur l'odorat jusqu'à en éteindre le sentiment. Le plaisir, au contraire, fixe au moins la plus grande partie de l'attention ou de la capacité de sentir à la sensation actuelle; et si la statue se rappelle encore ce qu'elle a été, c'est que la comparaison qu'elle en fait avec ce qu'elle est, lui fait mieux goûter son bonheur.

Traité des Sensations, I, ii, pp. 70-77.

16. LA DURÉE VÉCUE

Elle a l'idée d'une durée passée.

§ 11. Du discernement qui se fait en elle des odeurs, naît une idée de succession : car elle ne peut sentir qu'elle cesse d'être ce qu'elle étoit, sans se représenter dans ce changement une durée de deux instans.

Comme elle n'embrasse d'une manière distincte que jusqu'à trois odeurs, elle ne démêlera aussi que trois instans dans sa durée. Au-delà elle ne verra qu'une succession indéfinie.

Si l'on suppose que la mémoire peut lui rappeler distinctement jusqu'à quatre, cinq, six manières d'être, elle distinguera en conséquence quatre, cinq, six instans dans sa durée. Chacun peut faire à ce sujet les hypothèses qu'il jugera à propos, et les substituer à celles que j'ai cru devoir préférer.

D'une durée à venir.

§ 12. Le passage d'une odeur à une autre ne donne à notre statue que l'idée du passé. Pour en avoir une de l'avenir, il faut qu'elle ait eu à plusieurs reprises la même suite de sensations; et qu'elle se soit fait une habitude de juger, qu'après une modification une autre doit suivre.

Prenons pour exemple cette suite, jonquille, rose, violette. Dès que ces odeurs sont constamment liées dans cet ordre, une d'elles ne peut affecter son organe, qu'aussitôt la mémoire ne lui rappelle les autres dans le rapport où elles sont à l'odeur sentie. Ainsi qu'à l'occasion de l'odeur de violette, les deux autres se retraceront comme ayant précédé, et qu'elle se représentera une durée passée, de même à l'occasion de l'odeur de jonquille, celles de rose et de violette se retraceront comme devant suivre, et elle se représentera une durée à venir.

D'une durée indéfinie.

§ 13. Les odeurs de jonquille, de rose et de violette peuvent donc marquer les trois instans qu'elle aperçoit d'une manière distincte. Par la même raison, les odeurs qui ont précédé, et celles qui sont dans l'habitude de suivre, marqueront les instans qu'elle aperçoit confusément dans le passé et dans l'avenir. Ainsi, lorsqu'elle sentira une rose, sa mémoire lui rappellera distinctement l'odeur de jonquille et celle de violette; elle lui représentera une durée indéfinie, qui a précédé l'instant où elle sentoit la jonquille, et une durée indéfinie, qui doit suivre celui où elle sentira la violette.

Cette durée est pour elle une éternité.

§ 14. Apercevant cette durée comme indéfinie, elle n'y peut démêler ni commencement ni fin : elle n'y peut même soupçonner ni l'un ni l'autre. C'est donc à son égard une éternité absolue; et elle se sent, comme si elle eût toujours été, et qu'elle ne dût jamais cesser d'être.

En effet, ce n'est point la réflexion sur la succession de nos idées, qui nous apprend que nous avons commencé et que nous finirons : c'est l'attention que nous donnons aux êtres de notre espèce, que nous voyons naître et périr. Un homme qui ne connoîtroit que sa propre existence, n'auroit aucune idée de la mort...

L'idée de durée n'est pas absolue.

§ 17. Il n'y a donc qu'une succession d'odeurs transmises par l'organe, ou renouvelées par la mémoire, qui puisse lui donner quelque idée de durée. Elle n'auroit jamais connu qu'un instant, si le premier corps odoriférant eût agi sur elle d'une manière uniforme, pendant une heure, un jour ou davantage; ou si son action eût varié par des nuances si insensibles qu'elle n'eût pu les remarquer.

Il en sera de même si, ayant acquis l'idée de durée, elle conserve une sensation sans faire usage de sa mémoire, sans se rappeler successivement quelques-unes des manières d'être par où elle a passé. Car à quoi y distingueroit-elle des instans? Et si elle n'en distingue pas, comment apercevra-t-elle la durée?

L'idée de la durée n'est donc point absolue, et lorsque nous disons que le temps coule rapidement ou lentement, cela ne signifie autre chose, sinon que les révolutions qui servent à le mesurer, se font avec plus de rapidité ou avec plus de lenteur que nos idées ne se succèdent. On peut s'en convaincre par une supposition.

Supposition qui le rend sensible.

§ 18. Si nous imaginons qu'un monde composé d'autant de parties que le nôtre, ne fût pas plus gros qu'une noisette; il est hors de doute que les astres s'y lèveroient et s'y coucheroient des milliers de fois dans une de nos heures; et qu'organisés, comme nous le sommes, nous n'en pourrions pas suivre les mouvemens. Il faudroit donc que les organes des intelligences destinées à l'habiter, fussent proportionnés à des révolutions aussi subites.

Ainsi, pendant que la terre de ce petit monde tournera sur son axe, et autour de son soleil, ses habitans recevront autant d'idées que nous en avons pendant que notre terre fait de semblables révolutions. Dès lors, il est évident que leurs jours et leurs années leur paroîtront aussi longs que les nôtres nous le paroissent.

En supposant un autre monde, auquel le nôtre seroit aussi inférieur, qu'il est supérieur à celui que je viens de feindre; il faudroit donner à ses habitans des organes dont l'action seroit trop lente, pour apercevoir les révolutions de nos astres. Ils seroient par rapports à notre monde, comme nous, par rapport à ce monde gros comme une noisette. Ils n'y sauroient distinguer aucune succession de mouvement.

Demandons enfin aux habitans de ces mondes quelle en est la durée : ceux du plus petit compteront des millions de siècles, et ceux du plus grand ouvrant à peine les yeux, répondront qu'ils ne font que de naître.

La notion de la durée est donc toute relative : chacun n'en juge que par la succession de ses idées; et vraisemblablement il n'y a pas deux hommes qui, dans un temps donné, comptent un égal nombre d'instans. Car il y a lieu de présumer qu'il n'y en a pas deux dont la mémoire retrace toujours les idées avec la même rapidité.

Par conséquent, une sensation qui se conservera uniformément pendant un an, ou mille si l'on veut, ne sera qu'un instant à l'égard de notre statue; comme une idée que nous conservons pendant que les habitans du petit monde comptent des siècles, est un instant pour nous. C'est donc une erreur de penser que tous les êtres comptent le même nombre d'instans. La présence d'une idée, qui ne varie point, n'étant qu'un instant à mon égard, c'est une conséquence, qu'un instant de ma durée puisse co-exister à plusieurs instans de la durée d'un autre.

... *Sensations,* I, IV, pp. 104-114.

Autre supposition. Plaçons dans l'espace des intelligences qui voient, au même instant, la terre dans tous les points de son orbite; comme nous voyons nous-mêmes un charbon allumé, au même instant, dans tous les points du cercle qu'on lui fait décrire. N'est-il pas évident que si ces intelligences peuvent observer ce qui se fait sur la terre, elles nous verront, au même instant, labourer et faire la récolte ?

Art de penser, I, XI, p. 151.

Etonnement de la statue, la première fois qu'elle remarque le passage du jour à la nuit, et de la nuit au jour.

§ 1. Quand notre statue commence à jouir de la lumière, elle ne sait pas encore que le soleil en est le principe. Pour en juger, il faut qu'elle ait remarqué que le jour cesse presque aussitôt que cet astre a disparu. Cet événement la surprend sans doute beaucoup, la première fois qu'il arrive. Elle croit le soleil perdu pour toujours. Environnée d'épaisses ténèbres, elle appréhende que tous les objets qu'il éclairoit, ne se soient perdus avec lui : elle ose à peine changer de place, il lui semble que la terre va manquer sous ses pas. Mais au moment qu'elle cherche à la reconnoître au toucher, le ciel s'éclaircit, la lune répand sa lumière, une multitude d'étoiles brille dans le firmament. Frappée de ce spectacle, elle ne sait si elle en doit croire ses yeux.

Bientôt le silence de toute la nature l'invite au repos : un calme délicieux suspend ses sens : sa paupière s'apesantit : ses idées fuyent, échappent : elle s'endort.

A son réveil, quelle est sa surprise de retrouver l'astre qu'elle croyoit s'être éteint pour jamais. Elle doute qu'il ait disparu; et elle ne sait que penser du spectacle qui lui a succédé.

Bientôt ces révolutions lui paroissent naturelles.

§ 2. Cependant ces révolutions sont trop fréquentes, pour ne pas dissiper enfin ses doutes. Elle juge que le soleil paroîtra et disparoîtra encore, parce qu'elle a remarqué qu'il a paru et disparu plusieurs fois; et elle porte ce jugement avec d'autant plus de confiance qu'il a toujours été confirmé par l'événement. La succession des jours et des nuits devient donc à son égard une chose toute naturelle. Ainsi dans l'ignorance où elle est, ses idées de possibilité n'ont pour fondement que des jugemens d'habitude. C'est ce que nous avons déjà observé, et ce qui ne peut manquer de l'entraîner dans bien des erreurs. Une chose, par exemple, impossible aujourd'hui, parce que le concours des causes qui peuvent seules la produire n'a pas lieu, lui paroîtra possible, parce qu'elle est arrivée hier.

Le cours du soleil devient la mesure de sa durée.

§ 3. Les révolutions du soleil attirent de plus en plus son attention. Elle l'observe lorsqu'il se lève, lorsqu'il se couche; elle le suit dans son cours; et elle juge à la succession de ses idées, qu'il y a un intervalle entre le lever de cet astre et son coucher, et un autre intervalle entre son coucher et son lever.

Ainsi le soleil dans sa course devient pour elle la mesure du temps, et marque la durée de tous les états par où elle passe. Auparavant, une même idée, une même sensation qui ne varioit point, avoit beau subsister, ce n'étoit pour elle qu'un instant indivisible; et quelqu'inégalité qu'il y eût entre les instans de sa durée, ils étoient tous égaux à son égard : ils formoient une succession, où elle ne pouvoit remarquer ni lenteur, ni rapidité. Mais actuellement jugeant de sa propre durée par l'espace que le soleil a parcouru, elle lui paroît plus lente ou plus rapide. Ainsi après avoir jugé des révolutions solaires par sa durée, elle juge de sa durée par les révolutions solaires; et ce jugement lui devient si naturel, qu'elle ne soupçonne plus que la durée lui soit connue par la succession de ses idées.

Elle a une idée plus distincte de la durée.

§ 4. Plus elle rapportera aux différentes révolutions du soleil les événemens dont elle conserve quelque souvenir, et ceux qu'elle est accoutumée à prévoir; plus elle en saisira toute la suite. Elle verra donc mieux dans le passé et dans l'avenir.

En effet, qu'on nous enlève toutes les mesures du temps; n'ayons plus d'idée d'année, de mois, de jour, d'heure, oublions-en jusqu'aux noms; alors bornés à la succession de nos idées, la durée se montrera à nous fort confusément. C'est donc à ces mesures que nous en devons les idées les plus distinctes.

Dans l'étude de l'histoire, par exemple, la suite des faits retrace le temps confusément; la division de la durée en siècles, en années, en mois, en donne une idée plus distincte; enfin la liaison de chaque événement à son siècle, à son année, à son mois, nous rend capables de les parcourir dans leur ordre. Cet artifice consiste surtout à se faire des époques; on conçoit que notre statue peut en avoir.

Au reste, il n'est pas nécessaire que les révolutions, pour servir de mesure, soient d'égale durée; il suffit que la statue le suppose. Nous n'en jugeons pas nous-mêmes autrement.

Trois choses concourent à l'idée de la durée.

§ 5. Trois choses concourent donc aux jugemens que nous portons sur la durée : premièrement, la succession de nos idées; en second lieu, la connoissance des révolutions solaires; enfin, la liaison des événemens à ces révolutions.

D'où viennent les apparences des jours longs et des années courtes, des jours courts et des années longues.

§ 6. C'est de là que naissent pour le commun des hommes les apparences des jours si longs et des années si courtes; et pour un petit nombre, les apparences des jours courts et des années longues.

Que la statue soit quelque temps dans un état dont l'uniformité l'ennuie; elle en remarquera davantage le temps que le soleil sera sur l'horizon, et chaque jour lui paroîtra d'une longueur insupportable. Si elle passe de la sorte une année, elle voit que tous ses jours ont été semblables, et sa mémoire n'en marquant pas la suite par une multitude d'événements, ils lui semblent s'être écoulés avec une rapidité étonnante.

Si ses jours au contraire, passés dans un état où elle se plaît, pouvoient être chacun l'époque d'un événement singulier, elle remarqueroit à peine le temps que le soleil est sur l'horizon, et elle les trouveroit d'une brièveté surprenante. Mais une année lui paroîtroit longue, parce qu'elle se la retraceroit comme la succession d'une multitude de jours distingués par une suite d'événemens.

Voilà pourquoi, dans le désœuvrement, nous nous plaignons de la lenteur des jours et de la rapidité des années. L'occupation au contraire fait paroître les jours courts et les années longues : les jours courts, parce que nous ne faisons pas attention au temps dont les révolutions solaires font la mesure; les années longues, parce que nous nous les rappelons par une suite de choses qui supposent une durée considérable.

... Sensations, III, VII, pp. 329-334.

17. LA RENCONTRE DU MONDE

La statue a des mouvemens.

§ 1. Je donne à la statue l'usage de tous ses membres : mais quelle cause l'engagera à les mouvoir ? Ce ne peut pas être le dessein de s'en servir. Car elle ne sait pas encore qu'elle est composée de parties, qui peuvent se replier les unes sur les autres, ou se porter sur les objets extérieurs. C'est donc à la nature à commencer : c'est à elle à produire les premiers mouvemens dans les membres de la statue.

Comment ils sont produits.

§ 2. Si elle lui donne une sensation agréable, on conçoit que la statue en pourra jouir, en conservant toutes les parties de son corps dans la situation où elles se trouvent, et une pareille sensation paroît tendre à maintenir le repos plutôt qu'à produire le mouvement.

Mais s'il lui est naturel de se livrer à une sensation qui lui plaît et d'en jouir dans le repos, il lui est également naturel de se refuser à une sensation qui la blesse. Il est vrai qu'elle ne sait pas comment elle peut se refuser à une pareille sensation; mais dans les commencemens, elle n'a pas besoin de le savoir, il lui suffit d'obéir à la nature. C'est une suite de son organisation, que ses muscles, que la douleur contracte, agitent ses membres, et qu'elle se meuve sans en avoir le dessein, sans savoir encore qu'elle se meut.

Il peut même y avoir aussi des sensations agréables, dont la vivacité ne lui permettra pas de rester dans un parfait repos; au moins est-il certain que le passage alternatif du plaisir à la douleur et de la douleur au plaisir, doit occasionner des mouvemens dans son corps. Si elle n'étoit pas organisée pour être mue à l'occasion des sensations agréables ou désagréables qu'elle éprouve, le repos parfait, auquel elle seroit condamnée, ne lui laisseroit aucun moyen pour rechercher ce qui peut lui être utile, et pour éviter ce qui lui peut nuire.

Mais dès que, par une suite de son organisation, il se fait en elle des mouvemens, à l'occasion du plaisir, de la douleur, ou du passage alternatif de l'un à l'autre; il ne peut pas ne pas arriver que, dans le nombre de ces mouvemens, quelques-uns n'écartent ou ne suspendent une sensation qui la blesse, et que quelques autres ne lui procurent une sensation qui lui plaît. Elle aura donc un intérêt à étudier ses mouvemens, et par conséquent elle apprendra d'eux tout ce qu'elle en peut apprendre.

C'est naturellement, machinalement, par instinct et à son insu qu'elle se meut; et il nous reste à expliquer comment elle découvrira, d'après ses propres mouvemens, qu'elle a un corps et qu'au-delà il y en a d'autres.

Si nous considérons la multitude et la variété des impressions que les objets font sur la statue, nous jugeons que ses mouvemens doivent naturellement se répéter et se varier. Or, dès qu'ils se répètent et se varient, il lui arrivera nécessairement de porter, à plusieurs reprises, ses mains sur elle-même et sur les objets qui l'approchent.

En les portant sur elle-même, elle ne découvrira qu'elle a un corps, que lorsqu'elle en distinguera les différentes parties, et qu'elle se reconnoîtra dans chacune pour le même être sentant; et elle ne découvrira qu'il y a d'autres corps, que parce qu'elle ne se retrouvera pas dans ceux qu'elle touchera.

Sensation par laquelle l'âme découvre qu'elle a un corps.

§ 3. Elle ne peut donc devoir cette découverte qu'à quelqu'une des sensations du toucher. Or, quelle est cette sensation ?

L'impénétrabilité est une propriété de tous les corps; plusieurs ne sauroient occuper le même lieu : chacun exclut tous les autres du lieu qu'il occupe.

Cette impénétrabilité n'est pas une sensation. Nous ne sentons pas proprement que les corps sont impénétrables : nous jugeons plutôt qu'ils le sont, et ce jugement est une conséquence des sensations qu'ils font sur nous.

La solidité est sur-tout la sensation d'où nous tirons cette consé-quence; parce que, dans deux corps solides qui se pressent, nous apercevons, d'une manière plus sensible, la résistance qu'ils se font l'un à l'autre pour s'exclure mutuellement. S'ils pouvoient se péné-trer, les deux se confondroient dans un seul : mais dès qu'ils sont impénétrables, ils sont nécessairement distincts et toujours deux.

Il n'en est donc pas de la sensation de solidité, comme des sensa-tions de son, de couleur et d'odeur, que l'ame qui ne connoît pas son corps, aperçoit naturellement comme des modifications où elle se trouve et ne trouve qu'elle. Puisque le propre de cette sensa-tion est de représenter à-la-fois deux choses qui s'excluent l'une hors de l'autre, l'ame n'apercevra pas la solidité comme une de ces mo-difications où elle ne trouve qu'elle-même; elle l'apercevra néces-sairement comme une modification, où elle trouve deux choses qui s'excluent, et par conséquent elle l'apercevra dans ces deux choses.

Voilà donc une sensation par laquelle l'ame passe d'elle hors d'elle, et on commence à comprendre comment elle découvrira des corps.

En effet, puisque la statue est organisée pour avoir des mouve-mens, à la seule occasion des impressions qui se font sur elle, nous pouvons supposer que sa main se portera naturellement sur quelque partie de son corps, sur la poitrine, par exemple. Alors sa main et sa poitrine se distingueront à la sensation de solidité qu'elles se renvoient mutuellement, et qui les met nécessairement l'une hors de l'autre. Cependant en distinguant sa poitrine de sa main, la statue retrouvera son *moi* dans l'une et dans l'autre, parce qu'elle se sent également dans toutes deux. Quelqu'autre partie de son corps qu'elle touche, elle la distinguera de la même manière, et elle s'y retrouvera également.

Quoique cette découverte soit due principalement à la sensation de solidité, elle se fera plus facilement encore, s'il s'y joint d'autres sensations. Que la main soit froide, par exemple, et que la poitrine soit chaude, la statue les sentira comme quelque chose de solide et de froid qui touche quelque chose de solide et de chaud : elle appren-dra à rapporter le froid à la main, la chaleur à la poitrine, et elle en distinguera mieux l'une de l'autre. Ainsi ces deux sensations, peu propres par elles-mêmes à faire connoître à la statue qu'elle a un corps, contribueront cependant à lui en donner une idée plus sensible, lorsqu'elles seront enveloppées dans la sensation de solidité.

Si jusqu'ici la main de la statue, en se portant d'une partie de son corps sur une autre, a toujours franchi des parties intermédiaires, elle se retrouvera dans chacune, comme dans autant de corps différens, et elle ne saura pas encore que, toutes ensemble, elles n'en forment qu'un seul. C'est que les sensations qu'elle a éprouvées, ne les lui représentent pas comme contiguës, ni par conséquent, comme formant un seul continu.

Mais s'il lui arrive de conduire sa main le long de son bras, et sans rien franchir, sur sa poitrine, sur sa tête, etc., elle sentira, pour ainsi dire, sous sa main, une continuité de *moi*; et cette même main, qui réunira, dans un seul continu, les parties auparavant séparées, en rendra l'étendue plus sensible.

A quoi elle reconnoît le sien.

§ 4. La statue apprend donc à connoître son corps, et à se reconnoître dans toutes les parties qui le composent; parce qu'aussitôt qu'elle porte la main sur une d'elles, le même être sentant se répond en quelque sorte de l'une à l'autre : *c'est moi*. Qu'elle continue de se toucher, par-tout aussi le même être sentant se répondra de l'une à l'autre : *c'est moi, c'est moi encore!* Il se sent dans toutes les parties du corps. Ainsi il ne lui arrive plus de se confondre avec ses modifications : il n'est plus la chaleur et le froid, mais il sent la chaleur dans une partie et le froid dans une autre.

Comment elle découvre qu'il y en a d'autres.

§ 5. Tant que la statue ne porte les mains que sur elle-même, elle est à son égard comme si elle étoit tout ce qui existe. Mais si elle touche un corps étranger, le *moi*, qui se sent modifié dans la main, ne se sent pas modifié dans ce corps. Si la main dit *moi*, elle ne reçoit pas la même réponse. La statue juge par là ses manières d'être tout-à-fait hors d'elle. Comme elle en a formé son corps, elle en forme tous les autres objets. La sensation de solidité qui leur a donné de la consistance dans un cas, leur en donne aussi dans l'autre; avec cette différence, que le *moi,* qui se répondoit, cesse de se répondre.

... *Sensations,* II, ɪv, pp. 181-189.

18. LE SOMMEIL ET LES SONGES

Le repos de la statue.

§ 1. Le mouvement paroît à notre statue un état si naturel, et elle a une si grande curiosité de se transporter par-tout et de tout manier, qu'elle ne prévoit pas sans doute l'inaction où elle ne peut manquer de tomber. Mais peu-à-peu ses forces l'abandonnent; et commençant à sentir de la lassitude, elle la combat quelque temps par le desir qu'elle a encore de se mouvoir; enfin, le repos devient le plus pressant de ses besoins; elle sent que malgré elle sa curiosité cède; elle étend les bras, et reste immobile.

Son sommeil.

§ 2. Cependant l'activité de sa mémoire se conserve encore; et il lui semble qu'elle ne vit plus, que par le souvenir de ce qu'elle a été : mais la mémoire se repose à son tour; les idées qu'elle retrace s'affoiblissent insensiblement, et paroissent se perdre dans un éloignement, d'où elles jettent à peine une lueur qui va s'éteindre. Enfin, toutes les facultés sont assoupies : et c'est pour la statue l'état de sommeil.

Son réveil.

§ 3. Au bout de quelques heures, le repos commence à lui rendre ses forces. Ses idées reviennent lentement; il semble qu'elles ne paroissent que pour disparoître; et son ame, suspendue entre le sommeil et la veille, se sent comme une vapeur légère, qui d'un

moment à l'autre se dissipe et se reproduit. Cependant le mouvement renaît peu-à-peu dans toutes les parties de son corps, ses idées
se fixent, ses habitudes se renouvellent, son ame lui est rendue
toute entière, elle croit vivre pour la seconde fois.

Ce réveil lui paroît délicieux. Elle porte les mains sur elle avec
étonnement; elle les porte sur tout ce qui l'environne : charmée de
se retrouver et de retrouver encore les objets qui lui sont familiers;
sa curiosité et tous ses désirs renaissent avec plus de vivacité. Elle
s'y livre toute entière; se transporte de côté et d'autre, reconnoît
ce qu'elle a déjà connu, et acquiert de nouvelles connoissances. Elle
se fatigue donc pour la seconde fois; et cédant à la lassitude, elle
s'abandonne encore au sommeil.

Elle prévoit qu'elle repassera par ces états.

§ 4. En passant à plusieurs reprises par ces différens états, elle
se fera une habitude de les prévoir; et ils lui deviendront si naturels, qu'elle s'endormira et se réveillera sans être étonnée...

Etat de songe.

§ 9. Entre la veille et le sommeil profond, nous pouvons distinguer
deux états mitoyens : l'un où la mémoire ne rappelle les idées que
d'une manière fort légère; l'autre où l'imagination les rappelle avec
tant de vivacité et en fait des combinaisons si sensibles, qu'on croit
toucher les objets qu'on ne fait qu'imaginer.

Lorsque la statue s'est endormie dans un lieu où elle a appris à
se conduire sans danger, elle peut imaginer qu'il est semé d'épines,
de cailloux, qu'elle marche, et qu'à chaque pas, elle se déchire,
tombe, se heurte, et ressent de la douleur. Quoiqu'étonnée de ce changement, elle n'en peut douter : et son état est le même pour elle, que
si elle étoit réveillée, et que ce lieu fût en effet tel qu'il lui paroît.

Cause des songes et du désordre dans lequel ils retracent les idées.

§ 10. Pour découvrir la cause de ce songe, il suffit de considérer
qu'avant le sommeil, elle avoit les idées d'un lieu où elle pouvoit

se promener sans crainte; celles d'épines, de cailloux, de déchiremens, de chûte, de douleur; enfin celles d'un lieu, où elle avoit fait l'épreuve de toutes ces choses. Or qu'arrive-t-il dans le sommeil? C'est que cette dernière idée ne se réveille point du tout. Celles d'épines, de cailloux, de déchiremens, de chûte, de douleur, et du lieu où elle n'a rien connu de semblable, se retracent avec la même vivacité, que si les objets étoient présens; et se réunissant, il faut que la statue croie que ce lieu est devenu tel que son imagination le lui représente. Si elle se fût rappelé le lieu où elle s'est déchirée, où elle a fait des chûtes, elle ne fût pas tombée dans cette erreur. Il ne se fait donc dans les songes des associations si bizarres et si contraires à la vérité, que parce que les idées qui rétabliroient l'ordre, se trouvent interceptées.

Il n'est pas étonnant, qu'alors les idées se reproduisent dans un désordre, qui rapproche et réunit celles qui sont les plus étrangères. Ainsi que le sommeil est le repos du corps, il est celui de la mémoire, de l'imagination et de toutes les facultés de l'ame; et ce repos a différens degrés. Si ces facultés sont entièrement assoupies, le sommeil est profond. Si elles ne le sont que jusqu'à un certain point, la mémoire et l'imagination assez éveillées pour rappeler certaines idées, ne le sont pas assez pour en rappeler d'autres : dès-lors celles qui se présentent, forment les ensembles les plus extraordinaires...

Pourquoi elle a des songes dont elle se souvient, et d'autres qu'elle a oubliés.

§ 13. Il n'est pas possible qu'elle se souvienne de toutes les idées qu'elle a eues, étant éveillée; il doit en être de même de celles qu'elle a eues dans le sommeil.

Quant à la cause qui lui rappelle quelques-uns de ses songes, voici mes conjectures.

Si l'impression en a été vive, et s'ils ont offert les idées dans un désordre qui contredise d'une manière frappante les jugemens qui ont précédé le temps où elle s'est endormie, son étonnement en ce cas lie ces idées à la chaîne de ses connoissances. Au réveil le même étonnement qui subsiste encore, lui fait faire des efforts pour se les rappeler en détail, et elle se les rappelle. Elle n'en aura au contraire aucun souvenir, si l'intervalle du songe au réveil a été assez long, et rempli par un sommeil assez profond, pour effacer toute l'impression de l'étonnement où elle a été. Enfin, s'il ne lui reste que peu de surprise, quelquefois elle ne se rappellera qu'une partie de son rêve, d'autres fois elle se souviendra seulement d'avoir eu des idées fort extraordinaires.

Ses songes ne se gravent donc dans sa mémoire, que parce qu'ils se lient à des jugemens d'habitude qu'ils contredisent; et c'est la surprise où elle est encore à son réveil, qui l'engage à se les rappeler.

... *Sensations*, II, x, pp. 239-241; et II, xi, pp. 247-252.

19. LA CONQUÊTE DE L'ESPACE

§ 23. Non-seulement les yeux de la statue démêlent les objets qu'elle ne touche plus, ils démêlent encore ceux qu'elle n'a pas touchés, pourvu qu'ils en reçoivent des sensations semblables, ou à-peu-près. Car le tact ayant une fois lié différents jugements à différentes impressions de lumière, ces impressions ne peuvent plus se reproduire que les jugemens ne se répètent et ne se confondent avec elles. C'est ainsi qu'elle s'accoutume peu-à-peu à voir sans le secours du toucher...

Plus elle se sert de ses yeux, plus l'usage lui en devient commode. Ils enrichissent la mémoire des plus belles idées, suppléent à l'imperfection des autres sens, jugent des objets qui leur sont inaccessibles, et se portent dans un espace auquel l'imagination peut seule ajouter. Aussi leurs idées se lient si fort à toutes les autres, qu'il n'est presque plus possible à la statue de penser aux objets odoriférans, sonores ou palpables, sans les revêtir aussitôt de lumière et de couleur. Par l'habitude qu'ils contractent de saisir tout un ensemble, d'en embrasser même plusieurs, et de juger de leurs rapports; ils acquièrent un discernement si supérieur, que la statue les consulte par préférence. Elle s'applique donc moins à reconnoître au son les situations et les distances, à discerner les corps par les nuances des odeurs qu'il exhalent, ou par les différences que la main peut découvrir sur leur surface. L'ouïe, l'odorat et le toucher en sont par conséquent moins exercés. Peu-à-peu devenus plus paresseux, ils cessent d'observer dans les corps toutes les différences qu'ils y démêloient auparavant; et ils perdent de leur finesse, à proportion que la vue acquiert plus de sagacité...

Quoi de plus simple que la manière dont j'ai appris à me servir de mes sens!

J'ouvre les yeux à la lumière, et je ne vois d'abord qu'un nuage lumineux et coloré. Je touche, j'avance, je touche encore : un chaos se débrouille insensiblement à mes regards. Le tact décompose en quelque sorte la lumière; il sépare les couleurs, les distribue sur les objets, démêle un espace éclairé, et dans cet espace des grandeurs et des figures, conduit mes yeux jusqu'à une certaine distance, leur ouvre le chemin par où ils doivent se porter au loin sur la terre, et s'élever jusqu'aux cieux : devant eux, en un mot, il déploie l'univers. Alors ils paroissent se jouer dans des espaces immenses; ils manient les objets auxquel le toucher ne peut atteindre; ils les mesurent; et, les parcourant avec une rapidité étonnante, ils semblent enlever ou donner à mon gré l'existence à toute la nature. Au seul mouvement de ma paupière, je crée ou j'anéantis tout ce qui m'environne.

Quand je ne jouissois pas de ce sens, aurois-je jamais pu comprendre comment, ne changeant point de place, il m'auroit été possible de connoître ce qui est hors de la portée de ma main ? Quelle idée me serois-je faite d'un organe qui saisit à une si grande distance les formes et les grandeurs ? Est-ce un bras qui s'allonge d'une manière extraordinaire pour aller jusqu'à elles, ou viennent-elles jusqu'à lui ? Pourquoi se porte-il au-delà de certains corps, tandis qu'il est arrêté par d'autres ? Comment touche-t-il dans les eaux les mêmes objets qu'il touche encore au-dehors ? Est-ce une illusion, ou en effet toute la nature se reproduit-elle ?

Il me semble qu'à chaque objet que j'étudie je me fais une nouvelle manière de voir, et me procure un nouveau plaisir. Ici c'est une plaine vaste, uniforme, où ma vue, passant par-dessus tout ce qui est près de moi, se porte à une distance indéterminée, et se perd dans un espace qui m'étonne. Là un pays coupé et plus borné, où mes yeux, après s'être reposés sur chaque objet, embrassent un tableau plus distinct et plus varié. Des tapis de verdure, des bosquets de fleurs, des massifs de bois où le soleil pénètre à peine, des eaux qui coulent lentement ou qui se précipitent avec violence, embellissent ce paysage, que paroît animer une lumière qui répand sur lui mille couleurs différentes. Immobile à cette vue, tout appelle mes regards. A peine je les détourne, que je ne sais si je les dois fixer sur les objets que je viens de découvrir, ou les reporter sur ceux que je viens de perdre. Je les conduis avec inquiétude des uns aux autres; et mieux je démêle toutes les sensations dont je jouis, plus je suis sensible au plaisir de voir.

Curieuse, je parcours avec empressement des lieux dont le premier aspect m'a ravie; et j'aime à reconnaître à l'ouïe, à l'odorat, au goût et au toucher, les objets qui me frappent les yeux de toute part. Toutes mes sensations semblent craindre de céder les uns aux autres. La variété et la vivacité des couleurs le disputent au parfum des fleurs; les oiseaux me paroissent plus admirables par leur forme, leur mouvement et leur plumage, que par leurs chants. Et qu'est-ce que le murmure des eaux comparé à leur cours, leurs cascades et leur brillant cristal!

Tel est le sens de la vue : à peine instruit par le toucher, il dispense les trésors dans la nature; il les prodigue pour décorer les lieux que son guide lui découvre; et il fait des cieux et de la terre un spectacle enchanteur, qui n'a de magnificence que parce qu'il y répand ses propres sensations.

.... *Sensations*, III, III, pp. 297, 307; et IV, VIII, pp. 407-410.

20. L'AME DES BÊTES

Un animal ne peut obéir à ses besoins, qu'il ne se fasse bientôt une habitude d'observer les objets qu'il lui importe de reconnoître. Il essaie ses organes sur chacun d'eux : ses premiers momens sont donnés à l'étude; et, lorsque nous le croyons tout occupé à jouer, c'est proprement la nature qui joue avec lui pour l'instruire.

Il étudie, mais sans avoir le dessein d'étudier; il ne se propose pas d'acquérir des connoissances pour en faire un système : il est tout occupé des plaisirs qu'il recherche et des peines qu'il évite : cet intérêt seul le conduit : il avance sans prévoir le terme où il doit arriver.

Par ce moyen, il est instruit, quoiqu'il ne fasse point d'effort pour l'être. Les objets se distinguent à ses yeux, se distribuent avec ordre; les idées se multiplient suivant les besoins, se lient étroitement les unes aux autres : le système de ses connoissances est formé.

Mais les mêmes plaisirs n'ont pas toujours pour lui le même attrait, et la crainte d'une même douleur n'est pas toujours également vive : la chose doit varier suivant les circonstances. Ses études changent donc d'objets, et le système de ses connoissances s'étend peu-à-peu à différentes suites d'idées...

Il doit donc uniquement la facilité de parcourir ses idées à la grande liaison qui est entre elles. A peine un besoin détermine son attention sur un objet, aussitôt cette faculté jette une lumière qui se répand au loin : elle porte en quelque sorte le flambeau devant elle.

C'est ainsi que les idées renaissent par l'action même des besoins qui les ont d'abord produites. Elles forment, pour ainsi dire, dans la mémoire des tourbillons qui se multiplient comme les besoins. Chaque besoin est un centre d'où le mouvement se communique jusqu'à la circonférence. Ces tourbillons sont alternativement supérieurs les uns aux autres, selon que les besoins deviennent tour-à-tour plus violens. Tous font leurs révolutions avec une variété étonnante : ils se pressent, ils se détruisent, il s'en forme de nouveaux à mesure que les sentimens, auxquels ils doivent toute leur force, s'affoiblissent, s'éclipsent, ou qu'il s'en produit qu'on n'avoit point encore éprouvés. D'un instant à l'autre, le tourbillon qui en a entraîné plusieurs est donc englouti à son tour; et tous se confondent aussitôt que les besoins cessent : on ne voit plus qu'un chaos. Les idées passent et repassent sans ordre, ce sont des tableaux mouvans qui n'offrent que des images bizarres et imparfaites, et c'est aux besoins à les dessiner de nouveau et à les placer dans leur vrai jour.

Tel est en général le système des connoissances dans les animaux. Tout y dépend d'un même principe, le besoin; tout s'y exécute par le même moyen, la liaison des idées.

Les bêtes inventent donc, si *inventer* signifie la même chose que juger, comparer, découvrir. Elles inventent même encore, si par-là on entend se représenter d'avance ce qu'on va faire. Le castor se peint la cabane qu'il veut bâtir; l'oiseau, le nid qu'il veut construire. Ces animaux ne feroient pas ces ouvrages si l'imagination ne leur en donnoit pas le modèle.

Mais les bêtes ont infiniment moins d'invention que nous, soit parce qu'elles sont plus bornées dans leurs besoins, soit parce qu'elles n'ont pas les même moyens pour multiplier leurs idées et pour en faire des combinaisons de toute espèce.

Pressées par leurs besoins et n'ayant que peu de choses à apprendre, elles arrivent presque tout-à-coup au point de perfection auquel elles peuvent atteindre; mais elles s'arrêtent aussitôt, elles n'imaginent pas même qu'elles puissent aller au-delà. Leurs besoins sont satisfaits, elles n'ont plus rien à désirer, et par conséquent plus rien à rechercher. Il ne leur reste qu'à se souvenir de ce qu'elles ont fait, et à le répéter toutes les fois qu'elles se retrouvent dans les circonstances qui l'exigent. Si elles inventent moins que nous, si elles perfectionnent moins, ce n'est donc pas qu'elles manquent tout-à-fait d'intelligence, c'est que leur intelligence est plus bornée...

On dit communément que les animaux sont bornés à l'instinct, et que la raison est le partage de l'homme. Ces deux mots *instinct* et *raison*, qu'on n'explique point, contentent tout le monde, et tiennent lieu d'un système raisonné.

L'instinct n'est rien, ou c'est un commencement de connoissance : car les actions des animaux ne peuvent dépendre que de trois principes; ou d'un pur mécanisme, ou d'un sentiment aveugle qui ne compare point, ou d'un sentiment qui compare, qui juge et qui connoît. Or j'ai démontré que les premiers principes sont absolument insuffisans.

Mais quel est le degré de connoissance qui constitue l'instinct ? C'est une chose qui doit varier suivant l'organisation des animaux.

Ceux qui ont un plus grand nombre de sens et de besoins, ont plus souvent occasion de faire des comparaisons et de porter des jugemens. Ainsi leur instinct est un plus grand degré de connoissance. Il n'est pas possible de le déterminer : il y a même du plus ou du moins d'un individu à l'autre dans une même espèce. Il ne faut donc pas se contenter de regarder l'instinct comme un principe qui dirige l'animal d'une manière tout-à-fait cachée; il ne faut pas se contenter de comparer toutes les actions des bêtes à ces mouvemens que nous faisons, dit-on, machinalement, comme si ce mot *machinalement* expliquoit tout. Mais recherchons comment se font ces mouvemens, et nous nous ferons une idée exacte de ce que nous appelons *instinct*.

Si nous ne voulons voir et marcher que pour nous transporter d'un lieu dans un autre, il ne nous est pas toujours nécessaire d'y réfléchir : nous ne voyons et nous ne marchons souvent que par habitude. Mais si nous voulons démêler plus de choses dans les objets, si nous voulons marcher avec plus de graces, c'est à la réflexion à nous instruire; et elle réglera nos facultés jusqu'à ce que nous nous soyons fait une habitude de cette nouvelle manière de voir et de marcher. Il ne lui restera alors d'exercice qu'autant que nous aurons à faire ce que nous n'avons point encore fait, qu'autant que nous aurons de nouveaux besoins, ou que nous voudrons employer de nouveaux moyens pour satisfaire à ceux que nous avons.

Ainsi il y a en quelque sorte deux *moi* dans chaque homme : le moi d'habitude et le moi de réflexion. C'est le premier qui touche, qui voit; c'est lui qui dirige toutes les facultés animales. Son objet est de conduire le corps, de le garantir de tout accident, et de veiller continuellement à sa conservation.

Le second, lui abandonnant tous ces détails, se porte à d'autres objets. Il s'occupe du soin d'ajouter à notre bonheur. Ses succès multiplient ses désirs, ses méprises les renouvellent avec plus de force : les obstacles sont autant d'aiguillons : la curiosité le meut sans cesse : l'industrie fait son caractère. Celui-là est tenu en action par les objets dont les impressions reproduisent dans l'ame les idées, les besoins et les desirs qui déterminent dans le corps les mouvemens correspondants, nécessaires à la conservation de l'animal. Celui-ci est excité par toutes les choses qui, en nous donnant de la curiosité, nous portent à multiplier nos besoins.

Mais, quoiqu'ils tendent chacun à un but particulier, ils agissent souvent ensemble. Lorsqu'un géomètre, par exemple, est fort occupé de la solution d'un problème, les objets continuent encore d'agir sur ses sens. Le moi d'habitude obéit donc à leurs impressions : c'est lui qui traverse Paris, qui évite les embarras, tandis que le moi de réflexion est tout entier à la solution qu'il cherche.

Or, retranchons d'un homme fait le moi de réflexion, on conçoit qu'avec le seul moi d'habitude il ne saura plus se conduire lorsqu'il éprouvera quelqu'un de ces besoins qui demandent de nouvelles vues et de nouvelles combinaisons. Mais il se conduira encore parfaitement bien toutes les fois qu'il n'aura qu'à répéter ce qu'il est dans l'usage de faire. Le moi d'habitude suffit donc aux besoins qui sont absolument nécessaires à la conservation de l'animal. Or l'instinct n'est que cette habitude privée de réflexion.

A la vérité c'est en réfléchissant que les bêtes l'acquièrent; mais, comme elles ont peu de besoins, le temps arrive bientôt où elles ont fait tout ce que la réflexion a pu leur apprendre. Il ne leur reste plus qu'à répéter tous les jours les mêmes choses : elles doivent donc n'avoir enfin que des habitudes, elles doivent être bornées à l'instinct...

Mais il ne faut pas le croire infaillible. Il ne saurait être formé d'habitudes plus sûres que celles que nous avons de voir, d'entendre, etc.; habitudes qui ne sont si exactes que parce que les circonstances qui les produisent sont en petit nombre, toujours les mêmes, et qu'elles se répètent à tout instant. Cependant elles nous trompent quelquefois. L'instinct trompe donc aussi les bêtes.

Il est d'ailleurs infiniment inférieur à notre raison. Nous l'aurions, cet instinct; et nous n'aurions que lui si notre réflexion était aussi bornée que celle des bêtes. Nous jugerions aussi sûrement si nous jugions aussi peu qu'elles. Nous ne tombons dans plus d'erreurs que parce que nous acquérons plus de connaissances. De tous les êtres créés, celui qui est le moins fait pour se tromper est celui qui a la plus petite portion d'intelligence.

... *Animaux*, II, ii, p. 527; II, v, pp. 551-558.

21. L'IDÉE DE DIEU

Un concours de causes m'a donné la vie; par un concours pareil les momens m'en sont précieux ou à charge; par un autre, elle me sera enlevée : je ne saurois douter non plus de ma dépendance que de mon existence. Les causes qui agissent immédiatement sur moi seroient-elles les seules dont je dépends? Je ne suis donc heureux ou malheureux que par elles, et je n'ai rien à attendre d'ailleurs.

Telle a pu être, ou à-peu-près, la première réflexion des hommes quand ils commencèrent à considérer les impressions agréables et désagréables qu'ils reçoivent de la part des objets. Ils virent leur bonheur ou leur malheur au pouvoir de tout ce qui agissoit sur eux. Cette connoissance les humilia devant tout ce qui est; et les objets, dont les impressions étoient plus sensibles, furent leurs premières divinités. Ceux qui s'arrêtèrent sur cette notion grossière, et qui ne surent pas remonter à une première cause, incapables de donner dans les subtilités métaphysiques des athées, ne songèrent jamais à révoquer en doute la puissance, l'intelligence et la liberté de leurs dieux. Le culte de tous les idolâtres en est la preuve. L'homme n'a commencé à combattre la divinité que quand il étoit plus fait pour la connoître. Le polythéisme prouve donc combien nous sommes tous convaincus de notre dépendance; et, pour le détruire, il suffit de ne pas s'arrêter à la première notion qui en a été le principe. Je continue donc.

Quoi! Je dépendrois uniquement des objets qui agissent immédiatement sur moi! Ne vois-je donc qu'à leur tour ils obéissent à l'action de tout ce qui les environne? L'air m'est salutaire ou nuisible par les exhalaisons qu'il reçoit de la terre. Mais quelle vapeur celle-ci feroit-elle sortir de son sein, si elle n'étoit pas échauffée par le soleil? Quelle cause a, de ce dernier, fait un corps tout en feu? Cette cause en reconnoîtra-t-elle encore une autre? Ou, pour ne m'arrêter nulle part, admettrai-je une progression d'effets à l'infini

sans une première cause ? Il y auroit donc proprement une infinité
d'effets sans cause : évidente contradiction!

Ces réflexions, en donnant l'idée d'un premier principe, en démontrent en même temps l'existence. On ne peut donc pas soupçonner
cette idée d'être du nombre de celles qui n'ont de réalité que dans
l'imagination. Les philosophes qui l'ont rejetée ont été la dupe du
plus vain langage. Le hasard n'est qu'un mot, et le besoin qu'ils
en ont pour bâtir leurs systêmes prouve combien il est nécessaire de
reconnoître un premier principe...

Les mêmes effets qui nous ont conduits à cette première cause,
nous feront connoître ce qu'elle est quand nous réfléchirons sur
ce qu'ils sont eux-mêmes.

Considérons les êtres qu'elle a arrangés. (Je dis arrangés, car il
n'est pas nécessaire, pour prouver son intelligence, de supposer
qu'elle ait créé.) Peut-on voir l'ordre des parties de l'univers, la
subordination qui est entre elles, et comment tant de choses différentes forment un tout si durable, et rester convaincu que l'univers
a pour cause un principe qui n'a aucune connoissance de ce qu'il
produit, qui, sans dessein, sans vue, rapporte cependant chaque
être à des fins particulières subordonnées à une fin générale ? Si
l'objet est trop vaste, qu'on jette les yeux sur le plus vil insecte.
Que de finesse! Que de beauté ! Que de magnificence dans les organes! Que de précautions dans le choix des armes tant offensives
que défensives! Que de sagesse dans les moyens dont il a été pourvu
à sa subsistance! Mais, pour observer quelque chose qui nous est
plus intime, ne sortons pas de nous-mêmes. Que chacun considère
avec quel ordre les sens concourent à sa conservation, comment il
dépend de tout ce qui l'environne et tient à tout par des sentimens
de plaisir ou de douleur. Qu'il remarque comment ses organes sont
faits pour lui transmettre des perceptions; son ame, pour opérer
sur ces perceptions, en former tous les jours de nouvelles idées, et
acquérir une intelligence qu'elle ose refuser au premier être. Il conclura sans doute que celui qui nous enrichit de tant de sensations
différentes connoît le présent qu'il nous fait; qu'il ne donne point
à l'ame la faculté d'opérer sur ses sensations sans savoir ce qu'il
lui donne; que l'ame ne peut, par l'exercice de ses opérations, acquérir de l'intelligence qu'il n'ait lui-même une idée de cette intelli-

gence; qu'en un mot il connoît le systême par lequel toutes nos facultés naissent du sentiment et que par conséquent il nous a formés avec connoissance et avec dessein.

Mais son intelligence doit être telle que je l'ai dit, c'est-à-dire, qu'elle doit tout embrasser d'un même coup-d'œil. Si quelque chose lui échappoit, ne fût-ce que pour un instant, le désordre détruiroit son ouvrage...

Cet être, comme intelligent, discerne le bien et le mal, juge du mérite et du démérite, apprécie tout : comme libre, il se détermine et agit en conséquence de ce qu'il connoît. Ainsi de son intelligence et de sa liberté naissent sa bonté, sa justice et sa miséricorde, sa providence en un mot...

Une cause première, indépendante, unique, immense, éternelle, toute-puissante, immuable, intelligente, libre, et dont la providence s'étend à tout : voilà la notion la plus parfaite que nous puissions, dans cette vie, nous former de Dieu. A la rigueur, l'athéisme pourroit être caractérisé par le retranchement d'une seule de ces idées; mais la société, considérant plus particulièrement la chose par rapport à l'effet moral, n'appelle athées que ceux qui nient la puissance, l'intelligence, la liberté, ou, en un mot, la providence de la première cause. Si nous nous conformons à ce langage, je ne puis croire qu'il y ait des peuples athées. Je veux qu'il y en ait qui n'aient aucun culte, et qui même n'aient point de nom qui réponde à celui de DIEU. Mais est-il un homme, pour peu qu'il soit capable de réflexion, qui ne remarque sa dépendance, et qui ne se sente naturellement porté à craindre et à respecter les êtres dont il croit dépendre ? Dans les momens où il est tourmenté par ses besoins, ne s'humiliera-t-il pas devant tout ce qui lui paroît la cause de son bonheur ou de son malheur ? Or ces sentimens n'emportent-ils pas que les êtres qu'il craint et qu'il respecte sont puissans, intelligens et libres ? Il a donc déjà sur Dieu les idées les plus nécessaires par rapport à l'effet moral. Que cet homme donne ensuite des noms à ces êtres, qu'il imagine un culte, pourra-t-on dire qu'il ne connoît la divinité que de ce moment, et que jusques-là il a été athée ? Concluons que la connoissance de Dieu est à la portée de tous les hommes, c'est-à-dire, une connoissance proportionnée à l'intérêt de la société.   ... *Animaux*, II, VI, pp. 568-586.

22. LA LOI MORALE ET LA LOI DIVINE

L'expérience ne permet pas aux hommes d'ignorer combien ils se nuiroient, si chacun, voulant s'occuper de son bonheur aux dépens de celui des autres, pensoit que toute action est suffisamment bonne dès qu'elle procure un bien physique à celui qui agit. Plus ils réfléchissent sur leurs besoins, sur leurs plaisirs, sur leurs peines, et sur toutes les circonstances par où ils passent, plus ils sentent combien il leur est nécessaire de se donner des secours mutuels. Il s'engagent donc réciproquement; ils conviennent de ce qui sera permis ou défendu, et leurs conventions sont autant de lois auxquelles les actions doivent être subordonnées; c'est là que commence la moralité.

Dans ces conventions, les hommes ne croiroient voir que leur ouvrage, s'ils n'étoient pas capables de s'élever jusqu'à la divinité : mais ils reconnoissent bientôt leur législateur dans cet être suprême qui, disposant de tout, est le seul dispensateur des biens et des maux. Si c'est par lui qu'ils existent et qu'ils se conservent, ils voient que c'est à lui qu'ils obéissent lorsqu'ils se donnent des lois. Ils les trouvent, pour ainsi dire, écrites dans leur nature.

En effet, il nous forme pour la société, il nous donne toutes les facultés nécessaires pour découvrir les devoirs du citoyen. Il veut donc que nous remplissions ces devoirs : certainement il ne pouvoit pas manifester sa volonté d'une manière plus sensible. Les lois, que la raison nous prescrit, sont donc des lois que Dieu nous impose lui-même; et c'est ici que s'achève la moralité des actions.

Il y a donc une loi naturelle, c'est-à-dire, une loi qui a son fondement dans la volonté de Dieu, et que nous découvrons par le seul usage de nos facultés. Il n'est même point d'hommes qui ignorent absolument cette loi : car nous ne saurions former une société, quelque imparfaite qu'elle soit, qu'aussitôt nous ne nous obligions les uns à l'égard des autres. S'il en est qui veulent la méconnoître, ils sont en guerre avec toute la nature, ils sont mal avec eux-mêmes;

et cet état violent prouve la vérité de la loi qu'ils rejettent et l'abus qu'ils font de leur raison.

Il ne faut pas confondre les moyens que nous avons pour découvrir cette loi avec le principe qui en fait toute la force. Nos facultés sont les moyens pour la connoître; Dieu est le seul principe d'où elle émane. Elle étoit en lui avant qu'il créât l'homme : c'est elle qu'il a consultée lorsqu'il nous a formés, et c'est à elle qu'il a voulu nous assujettir.

Ces principes étant établis, nous sommes capables de mérite ou de démérite envers Dieu même : il est de sa justice de nous punir ou de nous récompenser.

Mais ce n'est pas dans ce monde que les biens et les maux sont proportionnés au mérite et au démérite. Il y a donc une autre vie où le juste sera récompensé, où le méchant sera puni; et notre ame est immortelle.

Cependant, si nous ne considérons que sa nature, elle peut cesser d'être. Celui qui l'a créée peut la laisser rentrer dans le néant. Elle ne continuera donc d'exister que parce que Dieu est juste. Mais par-là l'immortalité lui est aussi assurée que si elle étoit une suite de son essence.

Il n'y a point d'obligations pour des êtres qui sont absolument dans l'impuissance de connoître des lois. Dieu, ne leur accordant aucun moyen pour se faire des idées du juste et de l'injuste, démontre qu'il n'exige rien d'eux, comme il fait voir tout ce qu'il commande à l'homme, lorsqu'il le doue des facultés qui doivent l'élever à ces connoissances. Rien n'est donc ordonné aux bêtes, rien ne leur est défendu, elles n'ont de règles que la force. Incapables de mérite et de démérite, elles n'ont aucun droit sur la justice divine. Leur ame est donc mortelle.

Cependant cette ame n'est pas matérielle, et on conclura sans doute que la dissolution du corps n'entraîne pas son anéantissement. En effet, ces deux substances peuvent exister l'une sans l'autre; leur dépendance mutuelle n'a lieu que parce que Dieu le veut, et qu'autant qu'il le veut. Mais l'immortalité n'est naturelle à aucune des deux; et, si Dieu ne l'accorde pas à l'ame des bêtes, c'est uniquement parce qu'il ne la lui doit pas.

Les bêtes souffrent, dira-t-on : or comment concilier avec la jus-

tice divine les peines auxquelles elles sont condamnées ? Je réponds
que ces peines leur sont en général aussi nécessaires que les plaisirs
dont elles jouissent : c'étoit le seul moyen de les avertir de ce
qu'elles ont à fuir. Si elles éprouvent quelquefois des tourmens qui
font leur malheur, sans contribuer à leur conservation, c'est qu'il
faut qu'elles finissent, et que ces tourmens sont d'ailleurs une suite
des lois physiques que Dieu a jugé à propos d'établir, et qu'il ne
doit pas changer pour elles.

Je ne vois donc pas que, pour justifier la providence, il soit nécessaire de supposer, avec Mallebranche, que les bêtes sont de purs
automates. Si nous connoissions les ressorts de la nature, nous
découvririons la raison des effets que nous avons le plus de peine
à comprendre. Notre ignorance à cet égard n'autorise pas à recourir à des systèmes imaginaires; il seroit bien plus sage au philosophe de s'en reposer sur Dieu et sur sa justice.

Concluons que, quoique l'âme des bêtes soit simple comme celle
de l'homme, et qu'à cet égard il n'y ait aucune différence entre l'une
et l'autre, les facultés que nous avons en partage, et la fin à laquelle Dieu nous destine, démontrent que, si nous pouvions pénétrer dans la nature de ces deux substances, nous verrions qu'elles
diffèrent infiniment. Notre âme n'est donc pas de la même nature
que celle des bêtes.

Les principes que nous avons exposés dans ce chapitre et dans le
précédent, sont les fondements de la morale et de la religion naturelle. La raison, en les découvrant, prépare aux vérités dont la révélation peut seule nous instruire; et elle fait voir que la vraie philosophie ne sauroit être contraire à la foi.

                              ... *Animaux*, II, VII, pp. 587-592.

Idée de la vertu et du vice.

Les idées morales paroissent échapper aux sens : elles échappent
du moins à ceux de ces philosophes qui nient que nos connoissances
viennent des sensations. Ils demanderoient volontiers de quelle couleur est la vertu, de quelle couleur est le vice. Je réponds que la
vertu consiste dans l'habitude des bonnes actions, comme le vice
consiste dans l'habitude des mauvaises. Or ces habitudes et ces actions sont visibles.

Idée de la moralité des actions.

Mais la moralité des actions est-elle une chose qui tombe sous les sens ? Pourquoi donc n'y tomberoit-elle pas ? Cette moralité consiste uniquement dans la conformité de nos actions avec les lois : or ces actions sont visibles, et les lois le sont également, puisqu'elles sont des conventions que les hommes ont faites.

Si les lois, dira-t-on, sont des conventions, elles sont donc arbitraires. Il peut y en avoir d'arbitraires; il n'y en a même que trop : mais celles qui déterminent si nos actions sont bonnes ou mauvaises, ne le sont pas, et ne peuvent pas l'être. Elles sont notre ouvrage, parce que ce sont des conventions que nous avons faites : cependant nous ne les avons pas faites seuls; la nature les faisoit avec nous, elle nous les dictoit, et il n'étoit pas en notre pouvoir d'en faire d'autres. Les besoins et les facultés de l'homme étant donnés, les lois sont données elles-mêmes; et, quoique nous les fassions, Dieu, qui nous a créés avec tels besoins et telles facultés, est, dans le vrai, notre seul législateur. En suivant ces lois conformes à notre nature, c'est donc à lui que nous obéissons; et voilà ce qui achève la moralité des actions.

Si, de ce que l'homme est libre, on juge qu'il y a souvent de l'arbitraire dans ce qu'il fait, la conséquence sera juste : mais si l'on juge qu'il n'y a jamais que de l'arbitraire, on se trompera. Comme il ne dépend pas de nous de ne pas avoir les besoins qui sont une suite de notre conformation, il ne dépend pas de nous de n'être pas portés à faire ce à quoi nous sommes déterminés par ces besoins; et, si nous ne le faisons pas, nous en somme punis.

... Logique, I, vi, pp. 55-57.

23. PROPOS SUR L'ÉDUCATION

§ 12. Il seroit à souhaiter que ceux qui se chargent de l'éducation des enfants n'ignorassent pas les premiers ressorts de l'esprit humain. Si un précepteur, connoissant parfaitement l'origine et le progrès de nos idées, n'entretenoit son disciple que des choses qui ont le plus de rapport à ses besoins et à son âge; s'il avoit assez d'adresse pour le placer dans les circonstances les plus propres à lui apprendre à se faire des idées précises et à les fixer par des signes constans; si même en badinant il n'employoit jamais dans ses discours que des mots dont le sens seroit exactement déterminé; quelle netteté, quelle étendue ne donneroit-il pas à l'esprit de son élève! Mais combien peu de pères sont en état de procurer de pareils maîtres à leurs enfans; et combien sont encore plus rares ceux qui seroient propres à remplir leurs vues ? Il est cependant utile de connoître tout ce qui pourroit contribuer à une bonne éducation. Si l'on ne peut pas toujours l'exécuter, peut-être évitera-t-on au moins ce qui y seroit tout à fait contraire. On ne devroit, par exemple, jamais embarrasser les enfans par des parallogismes, des sophismes ou d'autres mauvais raisonnemens. En se permettant de pareils badinages, on court risque de leur rendre l'esprit confus et même faux. Ce n'est qu'après que leur entendement auroit acquis beaucoup de netteté et de justesse, qu'on pourroit, pour exercer leur sagacité, leur tenir des discours captieux. Je voudrois même qu'on y apportât assez de précaution pour prévenir tous les inconvéniens...

§ 42. Rien ne seroit plus important que de conduire les enfans de la manière dont je viens de remarquer que nous devrions nous conduire nous-mêmes. On pourroit, en jouant avec eux, donner aux opérations de leur âme tout l'exercice dont elles sont susceptibles, si, comme je le viens de dire, il n'est point d'objet qui n'y soit propre. On pourroit même insensiblement leur faire prendre l'habitude de les régler avec ordre. Quand, par la suite, l'âge et les circonstances changeroient les objets de leurs occupations, leur esprit seroit parfaitement développé, et se trouveroit de bonne heure une sagacité que, par toute autre méthode, il n'auroit que fort tard, ou même jamais. Ce n'est donc ni le latin, ni l'histoire, ni la géographie, etc., qu'il faut apprendre aux enfans. De quelle utilité peuvent être ces sciences dans un âge où l'on ne sait pas encore penser ? Pour moi, je plains les enfans dont on admire le savoir, et je prévois le moment où l'on sera surpris de leur médiocrité, ou peut-être de leur bêtise. La première chose qu'on devroit avoir en vue, ce seroit, encore un coup, de donner à leur esprit l'exercice de toutes ses opérations; et, pour cela, il ne faudroit pas aller chercher des objets qui leur sont étrangers : un badinage pourroit en fournir les moyens.

Essai..., I, ɪv, ɪ, p. 185; II, ɪɪ, ɪɪɪ, p. 505.

Les enfans sont déterminés par leurs besoins à être observateurs et analystes; et ils ont, dans leurs facultés naissantes, de quoi être l'un et l'autre : il le sont même en quelque sorte forcément, tant que la nature les conduit seule. Mais, aussitôt que nous commençons à les conduire nous-mêmes, nous leur interdisons toute observation et toute analyse. Nous supposons qu'ils ne raisonnent pas, parce que nous ne savons pas raisonner avec eux; et, en attendant un âge de raison, qui commençoit sans nous, et que nous retardons de tout notre pouvoir, nous les condamnons à ne juger que d'après nos opinions, nos préjugés et nos erreurs. Il faut donc qu'ils soient sans esprit, ou qu'ils n'aient qu'un esprit faux. Si quelques-uns se distinguent, c'est qu'ils ont dans leur conformation assez d'énergie pour vaincre tôt ou tard les obstacles que nous avons mis au développement de leurs talens : les autres sont des plantes que nous avons mutilées jusques dans la racine, et qui meurent stériles.

Logique, II, ɪ, p. 107.

Il me semble que l'éducation pourroit prévenir la plus grande partie de nos erreurs. Si, dans l'enfance, nous avons peu de besoins, si l'expérience veille alors sur nous pour nous avertir de nos fausses démarches, notre esprit conserveroit sa première justesse, pourvu qu'on eût soin de nous donner beaucoup de connoissances pratiques, et de les proportionner toujours aux nouveaux besoins que nous avons occasion de contracter.

Il faudroit craindre d'étouffer notre curiosité en n'y répondant pas; mais il ne faudroit pas aspirer à la satisfaire entièrement. Quand un enfant veut savoir des choses encore hors de sa portée, les meilleures raisons ne sont pour lui que des idées vagues; et les mauvaises, dont on ne cherche que trop souvent à le contenter, sont des préjugés dont il lui sera peut-être impossible de se défaire. Qu'il seroit sage de laisser subsister une partie de sa curiosité, de ne pas lui dire tout et de ne lui rien dire que de vrai! Il est bien plus avantageux pour lui de desirer encore d'apprendre, que de se croire instruit, lorsqu'il ne l'est pas, ou, ce qui est plus ordinaire, lorsqu'il l'est mal.

Les premiers progrès de cette éducation seroient, à la vérité, bien lents. On ne verroit pas de ces prodiges prématurés d'esprit, qui deviennent, après quelques années, des prodiges de bêtise; mais on verroit une raison dégagée d'erreurs, et capable par conséquent de s'élever à bien des connoissances...

On aura déjà fait bien du progrès quand on sera parvenu à se méfier de ses jugemens, et il restera un moyen pour acquérir toute la justesse dont on peut être capable. A la vérité, il est long, pénible même; mais enfin c'est le seul.

Il faut commencer par ne tenir aucun compte des connoissances qu'on a acquises, reprendre dans chaque genre et avec ordre toutes les idées qu'on doit se former, les déterminer avec précision, les analyser avec exactitude, les comparer par toutes les faces que l'analyse y fait découvrir, ne comprendre dans ses jugemens que les rapports qui résultent de ces comparaisons : en un mot, il faut, pour ainsi dire, rapprendre à toucher, à voir, à juger; il faut construire de nouveau le système de toutes ses habitudes.

Animaux, II, ix, pp. 612-614.

On verra que la vraie et l'unique méthode est de conduire un élève du connu à l'inconnu; qu'il suffit, par conséquent, de commencer par ce qu'il sait, pour lui apprendre quelque chose qu'il ne sait pas encore; et qu'en reprenant à chaque connoissance qu'on lui aura donnée, on pourra le faire passer, sans effort, à une connoissance nouvelle. Il faudra seulement être attentif à ne franchir aucune des idées intermédiaires; encore cette précaution deviendra-t-elle inutile, lorsque son esprit plus exercé les pourra suppléer.

Ce plan est simple. Il ne condamne pas le précepteur à étudier les sciences dans les systèmes qu'on a faits. Au contraire, il faut qu'il oublie tous les systèmes, et que, paroissant les ignorer autant que son élève, il commence avec lui, et aille avec lui d'observation en observation, comme s'ils faisoient ensemble les mêmes découvertes. C'est ainsi que les peuples se sont éclairés. Pourquoi donc chercher une autre méthode pour nous éclairer nous-mêmes ?...

Cette méthode a plusieurs avantages. Elle débarrasse nos études d'une multitude de superfluités, qui nous arrêtent sans nous instruire. Elle proscrit les sciences vaines, qui ne s'occupent que de mots ou de notions vagues, et qu'on appelle *sciences premières* ou *élémentaires*, comme s'il falloit perdre du temps à ne rien apprendre, pour se préparer à étudier un jour avec fruit. Elle écarte les dégoûts qu'un enfant ne peut manquer d'éprouver, lorsque rencontrant, dès les commencemens, des obstacles qu'il ne peut vaincre, et condamné à charger sa mémoire de mots qu'il n'entend pas, il est puni pour n'avoir pas retenu ce qu'il n'a pas compris ou pour n'avoir pas appris ce qu'il n'a pas senti la nécessité d'apprendre. Elle l'éclaire au contraire et promptement, parce que, dès la première leçon, elle le conduit de ce qu'il sait à ce qu'il ne savoit pas. Elle excite sa curiosité, parce qu'il juge, aux connoissances qu'il acquiert, de la facilité d'en acquérir d'autres, et que son amour-propre, flatté de ses premiers progrès, lui fait désirer d'en faire encore. Elle l'instruit presque sans efforts de sa part, parce qu'au lieu d'étaler des principes, elle réduit les sciences à l'histoire des observations, des expériences et des découvertes. Enfin, comme elle ne varie jamais, et qu'elle est la même dans chaque étude, elle lui devient tous les jours plus familière : plus il s'instruit, plus il a de facilité à s'instruire; et si le temps de son éducation a été trop court, il peut sans secours et par lui-même, acquérir seul les connoissances qu'on ne lui a pas données...

Il ne s'agit donc pas de donner à un enfant toutes les connoissances qui lui serviront un jour; il suffit de lui donner les moyens de les acquérir. Il importe peu qu'il exerce son esprit sur une chose, jusqu'à ce qu'il l'ait approfondie, ou sur plusieurs sans en approfondir aucune : c'est assez qu'il l'exerce, qu'il se plaise à l'exercer, et qu'il se fasse toujours des idées justes. En un mot, il s'agit de lui apprendre à penser...

On conçoit que, pour exécuter mon plan, il falloit me rapprocher de mon élève, et me mettre tout à fait à sa place; il falloit être enfant, plutôt que précepteur. Je le laissai donc jouer, et je jouai avec lui; mais je lui faisois remarquer tout ce qu'il faisoit, et comment il avoit appris à le faire; et ces petites observations sur ses jeux, étoient un nouveau jeu pour lui. Il reconnut bientôt qu'il n'avoit pas tou-

jours été capable des mouvemens qu'il avoit cru jusqu'alors lui être
naturels; il vit comment les habitudes se contractent; il sut comment on en peu acquérir de bonnes, et comment on peut se corriger des mauvaises.

Cours d'études, introduction, pp. V, XI, XVI, LXI.

Les études se ressentent encore des siècles d'ignorance où l'on en fit le plan.

La manière d'enseigner se ressent encore des siècles où l'ignorance
en forma le plan : car il s'en faut bien que les universités aient
suivi les progrès des académies. Si la nouvelle philosophie commence à s'y introduire, elle a bien de la peine à s'y établir; et
encore on ne l'y laisse entrer qu'à condition qu'elle se revêtira de
quelques haillons de la scholastique.

Les établissements faits pour l'avancement des sciences sont la critique des universités.

On a fait pour l'avancement des sciences des établissemens auxquels on ne peut qu'applaudir. Mais on ne les auroit pas faits sans
doute, si les universités avoient été propres à remplir cet objet.
On paroît donc avoir connu les vices des études; cependant on n'y a
point apporté de remèdes. Il ne suffit pas de faire de bons établissemens : il faut encore détruire les mauvais, ou les réformer
sur le plan des bons, et même sur un meilleur, s'il est possible.

Il restera toujours dans les écoles des défauts dont on ne les corrigera pas.

Je ne prétends pas que la manière d'enseigner soit aussi vicieuse
qu'au XIII⁰ siècle. Les scholastiques en ont retranché quelques défauts, mais insensiblement, et comme malgré eux. Livrés à leur
routine, ils tiennent à ce qu'ils conservent encore; et c'est avec la
même passion qu'ils ont tenu à ce qu'ils ont abandonné. Ils ont
livré des combats pour ne rien perdre : ils en livreroient pour

défendre ce qu'ils n'ont pas perdu. Ils ne s'aperçoivent pas du terrain qu'ils ont été forcés d'abandonner : ils ne prévoient pas qu'ils seront forcés d'en abandonner encore : et tel qui défend opiniâtrement le reste des abus qui subsistent dans les écoles, eût défendu avec la même opiniâtreté des choses qu'il condamne aujourd'hui, s'il fût venu deux siècles plutôt.

Les universités sont vieilles, et elles ont les défauts de l'âge : je veux dire qu'elles sont peu faites pour se corriger. Peut-on présumer que les professeurs renonceront à ce qu'ils croient savoir, pour apprendre ce qu'ils ignorent ? Avoueront-ils que leurs leçons n'apprennent rien, ou n'apprennent que des choses inutiles ? Non : mais, comme les écoliers, ils continueront d'aller à l'école pour remplir une tâche. Si elle leur donne de quoi vivre, c'est assez pour eux; comme c'est assez pour les disciples, si elle consume le temps de leur enfance et de leur jeunesse.

Pourquoi les académies ont contribué à l'avancement des sciences.

La considération dont les académies jouissent, est un aiguillon pour elles. D'ailleurs les membres, libres et indépendans, ne sont pas astreints à suivre aveuglément les maximes et les préjugés de leur corps. Si les vieillards tiennent à de vieilles opinions, les jeunes ont l'ambition de penser mieux; et ce sont toujours eux qui font dans les académies les révolutions les plus avantageuses aux progrès des sciences.

Histoire moderne, XX, xiv.

LETTRE A L'INFANT DON FERDINAND

Paris, 11 mai 1767.

Monseigneur,

Je fus présenté mardi dernier, et questionné sur votre compte. Votre éducation a fait ici le plus grand bruit et on a une grande idée de vous. J'ai entretenu cette opinion, en disant de vous le bien que j'en pense, parce qu'en effet j'en pense. Mais vous sentez bien qu'il m'a fallu taire le mal et cette réticence est un mensonge, puisqu'elle tend à tromper. Je me reprocherai toute ma vie le mensonge, si vous ne vous corrigez pas, mais j'espère, Monseigneur, que vous vous corrigerez si bien, qu'on ne se doutera pas que j'aye menti. Si vous ne veillez pas sur vous, vous perdrez votre réputation, et le public qui voudra se venger d'avoir été trompé, vous mettra beaucoup au-dessous de ce que vous êtes. L'histoire de votre éducation, qui sera publiée, sera votre condamnation et on demandera plus de vous que d'un autre prince, parce qu'en effet vous devriez valoir plus. Si vous avez de la réputation, elle n'est pas l'effet d'un mérite qu'on vous connoisse et dont on soit assuré, elle est ici l'ouvrage de la flatterie, parce qu'ici on croit plaire au roi en disant beaucoup de bien de vous. On est moins occupé de ce que vous êtes que de ce que vous devez être, et à tout hasard on dit que vous êtes bien; mais cette illusion ne peut pas durer. Quelques-uns parlent même de vous avec plus de modération et disent que si vous ne valez rien, ce ne sera pas la faute de votre gouverneur, ni de votre précepteur. Je suis très flatté de la justice qu'on nous rend et qui jusqu'à présent fait toute votre réputation, mais je serais plus flatté encore, si vous prouviez que vous avez répondu à nos soins; ce serait pour moi un chagrin mortel, si le public ne vous estimait pas autant que je vous aime. Tâchez, Monseigneur, de m'écrire des lettres, où il y ait quelque chose qui montre que vous pensez, que vous réfléchissez et que vous vous occupez utilement. Il faut que votre style fasse voir que vous trouvez du plaisir dans vos amusemens, que vous trouvez du plaisir dans vos occupations, que vous mettez de l'âme partout, et que vous ne faites rien avec indifférence. Adieu, Monseigneur, je vous aime autant que je respecte votre naissance et votre rang; mais quand pourrai-je respecter en vous le grand homme ?

J'attends de vos nouvelles avec impatience. Que j'aurai de plaisir, si vos lettres sont telles que je puisse les montrer et qu'elles vous fassent honneur! Saisissez le moment où vous serez mieux disposé et ne vous pressez pas.

24. L'EUROPE ET LE MARCHÉ COMMUN

Si, dans un temps où les Anglais et les Français ne commercent point ensemble, les récoltes surabondantes en Angleterre ont été insuffisantes en France, il s'établira deux prix, tous deux fondés sur la quantité relativement au besoin, et tous deux différens, puisque la quantité relativement au besoin n'est pas la même en France et en Angleterre. Aucun de ces prix ne sera donc tout à la fois proportionnel pour toutes deux : aucun ne sera également avantageux à toutes deux : aucun ne sera, pour toutes deux, le vrai prix.

Mais si les Anglais et les Français commerçoient entre eux avec une liberté pleine et entière, le blé, qui surabonde en Angleterre, se verseroit en France; et parce qu'alors les quantités, relativement au besoin, seroient les mêmes dans l'une et l'autre monarchie, il s'établiroit un prix qui seroit le même pour toutes deux, et ce seroit le vrai pour l'une comme pour l'autre, puisqu'il leur seroit également avantageux.

On voit par-là combien il importeroit à toutes les nations de l'Europe de lever les obstacles qu'elles mettent, pour la plupart, à l'exportation et à l'importation.

Il n'est pas possible que, dans la même année, les récoltes soient chez toutes également mauvaises : il n'est pas plus possible qu'elle soient toutes, dans la même année, également bonnes. Or un commerce libre, qui feroit circuler le surabondant, produiroit le même effet que si elles étoient bonnes par-tout, c'est-à-dire, que si elles étoient par-tout suffisantes à la consommation. Le blé, les frais de voiture défalqués, auroit dans toute l'Europe le même prix; ce prix seroit permanent, et le plus avantageux à toutes les nations...

Quand le prix n'est pas le vrai, il peut être vil ou excessif.

Au contraire, lorsque les nations de l'Europe s'interdisent mutuellement le commerce par des prohibitions expresses, ou par des droits équivalens, on conçoit que le prix du blé doit, tour-à-tour, tantôt chez l'une, tantôt chez l'autre, varier au point qu'il sera impossible d'assigner un terme au plus haut prix et au plus bas. Le même peuple verra tout-à-coup descendre le blé à dix livres, ou monter à cinquante...

Voilà l'effet des prohibitions. Qui néanmoins oseroit assurer que l'Europe ouvrira les yeux! Je le desire : mais je connois la force des préjugés, et je ne l'espère pas.

En effet le commerce n'est pas pour l'Europe un échange de travaux dans lequel toutes les nations trouveroient chacune leur avantage : c'est un état de guerre où elles ne songent qu'à se dépouiller mutuellement. Elles pensent encore comme dans ces temps barbares, où les peuples ne savoient s'enrichir que des dépouilles de leurs voisins. Toujours rivales, elles ne travaillent qu'à se nuire mutuellement. Il n'y en a point qui ne voulût anéantir toutes les autres; et aucune ne songe aux moyens d'accroître sa puissance réelle...

Le Commerce et le Gouvernement, I, xx, pp. 203-208; I, xxix, p. 311.

L'auteur de la nature, aux yeux duquel tous les peuples, malgré les préjugés qui les divisent, sont comme une seule république, ou plutôt comme une seule famille, a établi des besoins entre eux. Ces besoins sont une suite de la différence des climats, qui fait qu'un peuple manque des choses dont un autre surabonde, et qui leur donne à chacun différens genres d'Industrie. Malheur au peuple qui voudroit se passer de tous les autres. Il seroit aussi absurde qu'un citoyen qui, dans la société, regrettant les bénéfices qu'on fait sur lui, voudroit pourvoir par lui seul à tous ses besoins. Si un peuple se passoit des nations marchandes, s'il les anéantissoit, il en seroit moins riche lui-même, puisqu'il diminueroit le nombre des consommateurs auxquels il vend ses productions surabondantes...

Le Commerce et le Gouvernement, II, xvii, p. 486.

Qu'on me permette de supposer, pour un moment, que toutes les nations de l'Europe se conduisent d'après ces principes qu'elles ne connoîtront peut-être jamais.

Dans cette supposition, chacune acquerroit des richesses réelles et solides, et leurs richesses respectives seroient en raison de la fertilité du sol et de l'industrie des habitans.

Elles commerceroient entre elles avec une liberté entière; et, dans ce commerce, qui feroit circuler le surabondant, elles trouveroient chacune leur avantage.

Toutes également occupées, elles sentiroient le besoin qu'elles ont les unes des autres. Elles ne songeroient point à s'enlever mutuellement leurs manufactures ou leur trafic : il leur suffiroit à chacune de travailler, et d'avoir un travail à échanger. Que nous importe, par exemple, qu'une certaine espèce de drap se fasse en France ou en Angleterre, si les Anglais sont obligés d'échanger leur drap contre d'autres ouvrages de nos manufactures ? Travaillons seulement, et nous n'aurons rien à envier aux autres nations. Autant nous avons besoin de travailler pour elles, autant elles ont besoin de travailler pour nous. Si nous voulions nous passer de leurs travaux, elles voudroient se passer des nôtres : nous leur nuirions, elles nous nuiroient... Qu'on réfléchisse sur la situation de la France : faite pour être l'entrepôt du Nord et du Midi, pourroit-elle craindre de manquer ou d'acheter cher ? On voit au contraire qu'elle deviendroit le marché commun de toute l'Europe...

Concluons que les Etats de l'Europe, s'ils s'obstinent à ne pas laisser une entière liberté au commerce, ne seront jamais aussi riches ni aussi peuplés qu'ils pourroient l'être; que si un d'eux accordoit une liberté entière et permanente, tandis que les autres n'en accorderoient qu'une passagère et restreinte, il seroit, toutes choses d'ailleurs égales, le plus riche de tous; et qu'enfin, si tous cessoient de mettre des entraves au commerce, ils seroient tous aussi riches qu'ils peuvent l'être... Que, dans tous les gouvernemens, on protège donc également les travaux de toutes espèces, et que sans restriction, sans interruption, on permette d'exporter et d'importer les choses même les plus nécessaires; alors toutes les nations seront riches, et leurs richesses respectives seront en raison de la fertilité du sol et de l'industrie des habitans...

J'ai voulu sur-tout répandre la lumière sur une science qui paroît ignorée au moins dans la pratique. Si j'y ai réussi, il ne restera plus qu'à savoir si les nations sont capables de se conduire d'après la lumière. Ce doute, s'il venoit d'un homme qui eût plus de talens et plus de célébrité, pourroit peut-être leur ouvrir les yeux; mais, pour moi, je sens bien que je ne ferai voir que ceux qui voient.

Les nations sont comme les enfans. Elles ne font en général que ce qu'elles voient faire; et, ce qu'elles ont fait, elles le font long-temps, quelquefois toujours.

Ce n'est pas la raison qui les fait changer, c'est le caprice ou l'autorité.

Le caprice ne corrige rien : il substitue des abus à des abus, et les désordres vont toujours en croissant.

L'autorité pourroit corriger; mais d'ordinaire elle pallie plutôt qu'elle ne corrige. Encore est-ce beaucoup pour elle de pallier. Elle a ses passions, ses préjugés, sa routine, et il semble que l'expérience ne lui apprenne rien. Combien de fautes ont été faites! Combien de fois elles ont été répétées! Et on les répète encore!

Cependant l'Europe s'éclaire. Il y a un gouvernement qui voit les abus, qui songe aux moyens d'y remédier; et ce seroit plaire au monarque de montrer la vérité. Voilà donc le moment où tout bon citoyen doit la chercher. Il suffiroit de la trouver. Ce n'est plus le temps où il falloit du courage pour l'oser dire, et nous vivons sous un règne où la découverte n'en seroit pas perdue.

Le Commerce et le Gouvernement, I, xxix, pp. 306-317;
II, xix, p. 529.

25. LA VERTU DE L'ANALYSE

Un premier coup d'œil ne donne point d'idées des choses qu'on voit.

Je suppose un château qui domine sur une campagne vaste, abondante, où la nature s'est plue à répandre la variété, et où l'art a su profiter des situations pour les varier et embellir encore. Nous arrivons dans ce château pendant la nuit. Le lendemain, les fenêtres s'ouvrent au moment où le soleil commence à dorer l'horizon, et elles se referment aussitôt.

Quoique cette campagne ne se soit montrée à nous qu'un instant, il est certain que nous avons vu tout ce qu'elle renferme. Dans un second instant nous n'aurions fait que recevoir les mêmes impressions que les objets ont faites sur nous dans le premier. Il en seroit de même dans un troisième. Par conséquent, si l'on n'avoit pas refermé les fenêtres, nous n'aurions continué de voir que ce que nous avions d'abord vu.

Mais ce premier instant ne suffit pas pour nous faire connoître cette campagne, c'est-à-dire, pour nous faire démêler les objets qu'elle renferme : c'est pourquoi, lorsque les fenêtres se sont refermées, aucun de nous n'auroit pu rendre compte de ce qu'il a vu. Voilà comment on peut voir beaucoup de choses, et ne rien apprendre.

Pour s'en former des idées, il les faut observer l'une après l'autre.

Enfin les fenêtres se rouvrent pour ne plus se refermer, tant que le soleil sera sur l'horizon, et nous revoyons longtemps tout ce que nous avons d'abord vu. Mais si, semblables à des hommes en extase, nous continuons, comme au premier instant, de voir à-la-fois cette multitude d'objets différens, nous n'en saurons pas plus lorsque la nuit surviendra, que nous n'en savions lorsque les fenêtres qui venoient de s'ouvrir se sont tout-à-coup refermées.

Pour avoir une connoissance de cette campagne, il ne suffit donc pas de la voir toute à-la-fois; il en faut voir chaque partie l'une après l'autre; et, au lieu de tout embrasser d'un coup-d'œil, il faut arrêter ses regards successivement d'un objet sur un objet. Voilà ce que la nature nous apprend à tous. Si elle nous a donné la faculté de voir une multitude de choses à-la-fois, elle nous a donné aussi la faculté de n'en regarder qu'une, c'est-à-dire, de diriger nos yeux sur une seule; et c'est à cette faculté, qui est une suite de notre organisation, que nous devons toutes les connoissances que nous acquérons par la vue...

On commence donc par les objets principaux : on les observe successivement, et on les compare, pour juger des rapports où ils sont. Quand, par ce moyen, on a leur situation respective, on observe successivement tous ceux qui remplissent les intervalles, on les compare chacun avec l'objet principal le plus prochain, et on en détermine la position.

Alors on démêle tous les objets dont on a saisi la forme et la situation, et on les embrasse d'un seul regard. L'ordre qui est entre eux dans notre esprit n'est donc plus successif; il est simultané. C'est celui-là même dans lequel ils existent, et nous les voyons tous à-la-fois d'une manière distincte...

Cette décomposition et recomposition est ce qu'on nomme analyse.

Analyser n'est donc autre chose qu'observer dans un ordre successif les qualités d'un objet, afin de leur donner dans l'esprit l'ordre simultané dans lequel elles existent. C'est ce que la nature nous fait faire à tous. L'analyse, qu'on croit n'être connue que des philosophes, est donc connue de tout le monde, et je n'ai rien appris au lecteur; je lui ai seulement fait remarquer ce qu'il fait continuellement...

En effet, que je veuille connoître une machine, je la décomposerai pour en étudier séparément chaque partie. Quand j'aurai de chacune une idée exacte, et que je pourrai les remettre dans le même ordre où elles étoient, alors je concevrai parfaitement cette machine, parce que je l'aurai décomposée et recomposée.

Qu'est-ce donc que concevoir cette machine ? C'est avoir une pensée qui est composée d'autant d'idées qu'il y a de parties dans cette machine même, d'idées qui les représentent chacune exactement, et qui sont disposées dans le même ordre.

Lorsque je l'ai étudiée avec cette méthode, qui est la seule, alors ma pensée ne m'offre que des idées distinctes; et elle s'analyse d'elle-même, soit que je veuille m'en rendre compte, soit que je veuille en rendre compte aux autres.

Cette méthode est connue de tout le monde.

Chacun peut se convaincre de cette vérité par sa propre expérience; il n'y a pas même jusqu'aux plus petites couturières qui n'en soient convaincues : car si, leur donnant pour modèle une robe d'une forme singulière, vous leur proposez d'en faire une semblable, elles imagineront naturellement de défaire et de refaire ce modèle, pour apprendre à faire la robe que vous demandez. Elles savent donc l'analyse aussi bien que les philosophes, et elles en connoissent l'utilité beaucoup mieux que ceux qui s'obstinent à soutenir qu'il y a une autre méthode pour s'instruire.

Croyons avec elles qu'aucune autre méthode ne peut suppléer à l'analyse. Aucune autre ne peut répandre la même lumière : nous en aurons la preuve toutes les fois que nous voudrons étudier un objet un peu composé. Cette méthode, nous ne l'avons pas imaginée; nous ne l'avons que trouvée, et nous ne devons pas craindre qu'elle nous égare. Nous aurions pu, avec les philosophes, en inventer d'autres, et mettre un ordre quelconque entre nos idées : mais cet ordre, qui n'auroit pas été celui de l'analyse, auroit mis dans nos pensées la même confusion qu'il a mis dans leurs écrits : car il semble que plus ils affichent l'ordre, plus ils s'embarrassent, et moins on les entend. Ils ne savent pas que l'analyse peut seule nous instruire; vérité pratique connue des artisans les plus grossiers.

Logique, I, ii, pp. 16-22; III, pp. 27-29.

Elle ne consiste qu'à composer et décomposer nos idées pour en faire différentes comparaisons, et pour découvrir, par ce moyen, les rapports qu'elles ont entre elles, et les nouvelles idées qu'elles peuvent produire. Cette analyse est le vrai secret des découvertes, parce qu'elle nous fait toujours remonter à l'origine des choses. Elle a cet avantage qu'elle n'offre jamais que peu d'idées à la fois, et toujours dans la gradation la plus simple. Elle est ennemie des principes vagues, et de tout ce qui peut être contraire à l'exactitude et à la précision. Ce n'est point avec le secours des propositions générales qu'elle cherche la vérité, mais toujours par une espèce de calcul, c'est-à-dire, en composant et décomposant les notions, pour les comparer de la manière la plus favorable aux découvertes qu'on a en vue. Ce n'est pas non plus par des définitions, qui d'ordinaire ne font que multiplier les disputes, mais c'est en expliquant la génération de chaque idée. Par ce détail, on voit qu'elle est la seule méthode qui puisse donner de l'évidence à nos raisonnemens; et, par conséquent, la seule qu'on doive suivre dans la recherche de la vérité.

Essai..., I, ii, vii, p. 109.

Ainsi décomposer une pensée, comme une sensation, ou se représenter successivement les parties dont elle est composée, c'est la même chose; et, par conséquent, l'art de décomposer nos pensées n'est que l'art de rendre successives les idées et les opérations qui sont simultanées...

Si toutes les idées, qui composent une pensée, sont simultanées dans l'esprit, elles sont successives dans le discours : ce sont donc les langues qui nous fournissent les moyens d'analyser nos pensées.

Comment toutes les parties d'un raisonnement, quoique simultanées dans l'esprit, se développent successivement par le moyen des signes artificiels.

Comme les mots développent successivement, dans une proposition, un jugement dont les idées sont simultanées dans l'esprit, ils développent, dans une suite de propositions, un raisonnement dont les parties sont également simultanées, et vous découvrez en vous une suite d'idées et d'opérations que vous n'auriez pas démêlées sans leur secours.

Grammaire, I, III, pp. 42, 44; IV, p. 49.

26. IDENTITÉ ET VÉRITÉ

Toute proposition vraie est une proposition identique.

Une proposition identique est celle où la même idée est affirmée d'elle-même, et par conséquent, toute vérité est une proposition identique. En effet, cette proposition, *l'or est jaune, pesant, fusible, etc.,* n'est vraie, que parce que je me suis formé de l'or une idée complexe qui renferme toutes ces qualités. Si, par conséquent, nous substituons l'idée complexe au nom de la chose, nous aurons cette proposition : *ce qui est jaune, pesant, fusible, est jaune, pesant, fusible.*

En un mot, une proposition n'est que le développement d'une idée complexe en tout ou en partie. Elle ne fait donc qu'énoncer ce qu'on suppose déjà renfermé dans cette idée : elle se borne donc à affirmer que le même est le même.

Cela est sur-tout sensible dans cette proposition et ses semblables :

deux et deux font quatre. On le remarqueroit encore dans toutes les propositions de géométrie, si on les observoit dans l'ordre où elles naissent les unes des autres. La même idée est également affirmée d'elle-même dans *les trois angles d'un triangle sont égaux à deux droits,* et dans *la demi-circonférence du cercle est égale à la demi-circonférence du cercle.*

Les sciences humaines ne sont-elles donc qu'un recueil de propositions frivoles ? On l'a reproché aux mathématiques; mais ce reproche est sans fondement.

Un être pensant ne formeroit point de propositions, s'il avoit toutes les connoissances sans les avoir acquises, et si sa vue saisissoit à-la-fois et distinctement toutes les idées et tous les rapports de ce qui est. Tel est Dieu : chaque vérité est pour lui comme deux et deux font quatre, il les voit toutes dans une seule, et rien sans doute n'est si frivole à ses yeux que cette science dont nous enflons notre orgueil, quoiqu'elle soit bien propre à nous convaincre de notre foiblesse.

Comment une proposition identique peut être instructive.

Un enfant qui apprend à compter, croit faire une découverte, la première fois qu'il remarque que deux et deux font quatre. Il ne se trompe pas; c'en est une pour lui. Voilà ce que nous sommes.

Quoique toute proposition vraie soit en elle-même identique, elle ne doit pas le paroître à celui qui remarque, pour la première fois, le rapport des termes dont elle est formée. C'est, au contraire, une proposition instructive, une découverte.

Une proposition instructive pour un esprit peut n'être qu'identique pour un autre.

Par conséquent, une proposition peut être identique pour vous et instructive pour moi. *Le blanc est blanc,* est identique pour tout le monde, et n'apprend rien à personne. *Les trois angles d'un triangle sont égaux à deux droits,* ne peut être identique que pour un géomètre.

Ce n'est donc point en elle-même, qu'il faut considérer une proposition, pour déterminer si elle est identique ou instructive; mais c'est par rapport à l'esprit qui en juge.

Une intelligence d'un ordre supérieur pourroit à ce sujet regarder nos plus grands philosophes, comme nous regardons nous-mêmes les enfans : elle pourroit, par exemple, donner pour un des premiers axiomes de géométrie *le quarré de l'hypoténuse est égal aux quarrés des deux autres côtés.* Cependant que feroit-elle dans les sciences qu'elle se flatteroit d'avoir approfondies ? Un recueil de propositions, où elle diroit de mille manières différentes *le même est le même.* Elle apercevroit au premier coup-d'œil l'identité de toutes nos propositions, parce que ses lumières seroient supérieures aux nôtres; et parce qu'il y auroit encore des ténèbres pour elle, elle feroit des analyses pour faire des découvertes, c'est-à-dire pour faire des propositions identiques. Ce n'est qu'à des esprits bornés, qu'il appartient de créer des sciences.

Pourquoi une proposition, identique en soi, est instructive pour nous.

Il y a deux raisons qui font qu'une proposition identique en elle-même est instructive pour nous. La première, c'est que nous n'acquérons que l'une après l'autre les idées partielles, qui doivent entrer dans une notion complexe. Je vois de l'or, je connois qu'il est jaune; je le saisis, je sens qu'il est pesant; je le mets au feu, je découvre qu'il est fusible : d'autres expériences m'apprennent également qu'il est malléable, ductile, etc. Ainsi quand je dis *l'or est ductile, malléable,* c'est la même chose que si je disois : *ce corps que je savois être jaune, pesant et fusible, est encore ductile et malléable.*

La seconde raison est dans l'impuissance où nous sommes d'embrasser à-la-fois distinctement toutes les idées partielles que nous avons renfermées dans une notion complexe. Quand je prononce le mot *or,* par exemple, je me représente confusément certaines propriétés : mais ces propriétés passent distinctement devant mon esprit, toutes les fois que j'affirme que ce métal est jaune, qu'il est pesant, etc; et ces propositions sont instructives, parce qu'en les formant, je rapprends ce que l'expérience m'avoit découvert.

Art de penser, I, x, pp. 134-139.

BIBLIOGRAPHIE

ŒUVRES DE CONDILLAC

Outre les éditions originales (voir *Biographie*), les œuvres de Condillac ont donné lieu aux éditions suivantes :

1) *Œuvres de M. l'abbé de Condillac,* 3 vol., Paris, Libraires associés, 1768 et 1777.

2) *Œuvres philosophiques de l'abbé de Condillac,* 4 vol., Parme et Paris, Guillemard, 1792.

3) *Œuvres de Condillac, revues, corrigées par l'auteur, imprimées sur ses manuscrits autographes et augmentées de la langue des calculs, ouvrage posthume,* 23 vol., Paris, Imp. de C. Houel, An VI, 1798. Cette édition complète et définitive sert de base aux éditions postérieures, notamment :

4) *Œuvres complètes de Condillac,* 31 vol., Paris, Dufart, 1803.

5) *Œuvres complètes de Condillac,* publiées par A. F. Théry, 16 vol., Paris, Lecointe et Durcy, 1821.

6) *Œuvres philosophiques de Condillac,* présentées par Georges Le Roy, dans le *Corpus général des Philosophes français,* tome XXXIII, 3 vol., Presses Universitaires de France, 1948-1951. Cette édition publie pour la première fois le *Dictionnaire des synonymes,* ouvrage posthume, préfacé par Mario Roques. Elle donne en outre une bibliographie complète et un index des noms et des notions.

OUVRAGES SUR CONDILLAC

1. BIOGRAPHIE

BAGUENAULT DE PUCHESSE, *Condillac, sa vie, sa philosophie, son influence,* Paris, Plon, 1910.

BÉDARIDA, *Parme et la France, de 1748 à 1789,* Paris, Champion, 1927.

BENASSI, *Per la biographia del Condillac,* Plaisance, 1923.

JOBERT, *La Commission d'Education nationale en Pologne (1773-1794),* Paris, Les Belles-Lettres, 1941.

PERGOLI, *Il Condillac in Italia,* Faenza, 1903.

Bulletin de la Société d'archéologie de la Drôme, 1905.

Bulletin de la Société archéologique et historique de l'Orléanais : T. XIV
  (Baguenault de Puchesse : *Condillac dans l'Orléanais*), XV, XVI,
  XVII, XX (Pommier : *Condillac dans l'Orléanais*), XXIII (Jouvellier :
  Documents concernant le fief de Flux), XXV.

LORIN DE CHAFFIN, *Essais historiques sur la ville et le canton de Beaugency,* par M. PELLIEUX, Nouvelle édition, t. II, pp. 310-312, Orléans,
  1856.

2. PHILOSOPHIE

BIZARRI, *Condillac*, Brescia, La Scuola, 1945.

BRÉHIER, *Histoire de la Philosophie*, t. II, fasc. II, ch. VII, Paris, Alcan,
  1930.

BRUNSCHVICG, *Le Progrès de la conscience dans la Philosophie occidendale,* ch. XX, sect. I, Paris, Alcan, 1927.

CAPONE BRAGA, *La Filosofia francese ed italiana del Settecento,* 2 vol.,
  Arezzo, 1920.

CARLINI, *La Filosofia di Locke,* t. II, Part. IV, ch. II, Florence, 1921.

CHARPENTIER, Introduction et notes au *Traité des Sensations,* première
  partie, Paris, Hachette, 1886.

COUSIN, *Philosophie sensualiste au XVIIIᵉ siècle,* Leçons II et III, Librairie nouvelle, 1856.

DELBOS, *La Philosophie française,* ch. XI, Paris, Plon, 1919.

DEWAULE, *Condillac et la Psychologie anglaise contemporaine,* Paris,
  Alcan, 1891.

DIDIER, *Condillac,* Paris, Bloud, 1911.

LACROIX, *Actualité de Condillac,* Le Monde, 12 septembre 1947.

LEFÈVRE, *Condillac, maître du langage*, Actes du Congrès de philosophie, Genève, 1966.

LENOIR, *Condillac,* Paris, Alcan, 1924.

LEROY, *La Psychologie de Condillac,* Paris, Boivin, 1937; *Introduction* à
  l'*Edition du Corpus,* 1948.

MADINIER, *Conscience et Mouvement. Etude sur la Philosophie française
  de Condillac à Bergson,* ch. I, Paris, Alcan, 1938.

MAINE DE BIRAN, *Essai sur les fondements de la Psychologie* (Edition
  Tisserand, t. VIII et IX), *Nouveaux essais d'Anthropologie* (t. XIV),
  Paris, Alcan, 1920-1949.

MONDOLFO, *Un Psichologo associazionista, E. B. de Condillac*, Palerme, 1902.

PICAVET, Introduction au *Traité des Sensations, première partie*, Paris, Delagrave, 1885.

RADOVANOVITCH, *La Théorie de la connaissance chez Condillac*, Genève, Imp. de Jent, 1927.

RÉTHORÉ, *Condillac, ou l'Empirisme et le Rationalisme*, Paris, Durand, 1864.

ROBERT, *Les Théories logiques de Condillac*, Paris, Hachette, 1869.

SALTYKOW, *Die Philosophie Condillacs*, Bern, Sturzenegger, 1901.

SALVUCCI, *Condillac, filosofo della communita humana*, Nuova Academia, Milano, 1961.

SCHAUPP, *The naturalism of Condillac*, Lincoln, 1926.

SOLINAS, *Condillac e l'illuminismo*, Universita di Cagliari, 1955.

TAINE, *Les Philosophes classiques du XIXe siècle*, ch. I, Paris, Hachette, 1857.

3. ECONOMIE POLITIQUE

DUBOIS, *Les Théories psychologiques de la Valeur au XVIIIe siècle*, Revue d'Economie politique, 1897.

BARTOLI, *Le Problème de la Valeur chez les Physiocrates*, Mélanges Gonnard, Lib. générale de Droit et de Jurisprudence, 1946.

HÖPFNER, *E. B. de Condillac und A. Smith*, Leipzig, 1923.

LEBEAU, *Condillac économiste*, Paris, Guillaumin, 1903.

WEULERSSE, *Le Mouvement physiocratique en France de 1756 à 1770*, 2 vol., Paris, 1910. *Les Physiocrates*, Paris, 1931.

4. PÉDAGOGIE

BERTOLINI, *La Pedagogia di Condillac*, Asti, 1911.

MANN, *L'Education selon la Doctrine pédagogique de Condillac*, Grenoble, Allier, 1903.

SCHMIDT, article dans *Jahrbruch des Vereins für wissenschaftliche Pädagogik*, B^d 44, Dresden, 1912.

STOEBER, *Condillac als Pädagoge*, Zurich, Selnau, 1909.

TABLE DES ILLUSTRATIONS

★

TABLE

CHOIX DE TEXTES

IMPRIMERIE AUBIN. — LIGUGÉ (VIENNE).

D.L. 2-1966. Editeur, n° 1543. — Imprimeur, n° 3918.

Imprimé en France.